NOUVEAUX CLASSIQUES LAROUSSE

FONDÉS PAR
FÉLIX GUIRAND

CONTINUÉS PAR
LÉON LEJEALLE

DIRIGÉS PAR
JEAN-POL CAPUT

Agrégés des Lettres

PRÉFACE DE CROMWELL

Phot. Lauros-Giraudon.

Costume de lord Shrewsbury : aquarelle de Delacroix.

VICTOR HUGO

PRÉFACE DE CROMWELL

avec une Notice biographique, une Notice historique et littéraire, des Notes explicatives, une Documentation thématique, des Jugements, un Questionnaire et des Sujets de devoirs,

par

MICHEL CAMBIEN

Agrégé des Lettres

LIBRAIRIE LAROUSSE

17, rue du Montparnasse, et boulevard Raspail, 114

Succursale : 58, rue des Écoles (Sorbonne)

RÉSUMÉ CHRONOLOGIQUE DE LA VIE DE VICTOR HUGO 1802-1885

1802 — **Naissance** de Victor Hugo, le 26 février, à **Besançon;** fils de Joseph-Léopold-Sigisbert Hugo, capitaine sorti du rang, républicain, et de Sophie Trébuchet, fervente catholique. En 1798 était né Abel et en 1800 Eugène, frères de Victor Hugo.

1803 — Son père est muté en Corse, puis va en garnison à l'île d'Elbe.

1804 — Victor Hugo vit avec sa mère à Paris, rue Neuve-des-Petits-Champs, où il habitera durant quatre années.

1807 — Son père, promu colonel, est nommé près de Naples.

1808 — Sophie Hugo l'y rejoint avec ses enfants. Le colonel Hugo part pour l'Espagne.

1809 — L'enfant rentre à Paris avec sa mère. Ils s'installent aux **Feuillantines,** dont Hugo conservera un souvenir poétique.

1811-1812 — Sa mère ayant rejoint son mari à **Madrid,** le jeune Hugo passe quelque temps dans un **collège espagnol.** A la séparation de ses parents, il revient à Paris, aux Feuillantines.

1814 — Sa mère s'installe, avec ses enfants, rue des Vieilles-Thuilleries. Un jugement sanctionnant la séparation de ses parents enlève à Sophie Hugo la garde d'Eugène et de Victor; celui-ci sera mis à la pension Cordier jusqu'en 1818. (Il suivra les cours du lycée Louis-le-Grand de 1816 à 1818.)

1817-1819 — Il obtient un certain succès dans deux concours proposés par l'Académie française (mention), au concours général (accessit en physique) et reçoit deux récompenses de l'académie de Toulouse. Entre-temps, il était retourné chez sa mère, rue des Petits-Augustins. Il fonde *le Conservateur littéraire,* bimensuel, auquel collaborent Vigny et Emile Deschamps, et qui disparaîtra deux ans plus tard, à la suite de difficultés financières. Il écrit une première version de *Bug-Jargal.*

1820 — Il reçoit une gratification de Louis XVIII pour une ode sur *la Mort du duc de Berry* et un prix de l'académie des jeux Floraux de Toulouse. Il est présenté à Chateaubriand.

1821 — Mort de sa mère (27 juin).

***

1822 — La publication d'*Odes* et *Poésies diverses* lui fait obtenir une pension. Il se **marie** le 12 octobre, à Saint-Sulpice, avec **Adèle Foucher.**

1823 — *Han d'Islande,* roman, lui rapporte ses premiers droits d'auteur. — Son premier enfant, Léopold, meurt à deux mois et demi (octobre). — Il crée *la Muse française* (revue).

1824 — Le 28 août naît Léopoldine. Il publie *Nouvelles Odes* et fréquente le Cénacle de Ch. Nodier, bibliothécaire de l'Arsenal.

1825 — Charles X lui confère la Légion d'honneur.

1826 — Naissance de Charles, fils du poète (3 novembre). — Publication des ***Odes et Ballades.*** Deuxième version de *Bug-Jargal.*

1827 — A la suite d'un article du *Globe* sur ses *Odes et Ballades,* Hugo lie connaissance avec Sainte-Beuve, s'installe rue Notre-Dame-des-Champs, où se réunit le nouveau Cénacle. Parution en librairie du drame de ***Cromwell,*** précédé d'une longue ***Préface.***

1828 — Son père meurt (29 janvier). Naissance de son fils François-Victor (21 octobre).

1829 — Le Cénacle accueille de nouveaux membres, dont Musset, Mérimée, Vigny. Publication des ***Orientales*** et du *Dernier Jour d'un condamné,* roman. La pièce *Marion de Lorme* est interdite par la censure. Répétitions orageuses d'*Hernani* à la Comédie-Française.

***

1830 — Bataille, puis triomphe d'***Hernani,*** dont la première représentation a lieu le 25 février. Hugo vit dans l'aisance et s'installe rue Jean-Goujon.

1831 — Publication de ***Notre-Dame de Paris*** et représentation de *Marion de Lorme* au théâtre de la Porte-Saint-Martin. En décembre paraissent ***les Feuilles d'automne.***

1832 — Le gouvernement ayant interdit *Le roi s'amuse,* Hugo renonce à sa pension. En octobre, Victor Hugo s'installe au 6, place Royale (actuellement place des Vosges).

1833 — Il donne, au théâtre de la Porte-Saint-Martin, *Lucrèce Borgia,* puis *Marie Tudor.* Son ménage étant désuni par les intrigues de Sainte-Beuve, il se lie avec **Juliette Drouet.** Cette liaison durera cinquante ans.

1834 — *Littérature et philosophie mêlées. Claude Gueux.*

1835 — *Angelo,* drame. Après la publication des ***Chants du crépuscule,*** Hugo présente, sans succès, sa candidature à l'Académie française.

1837 — Il publie ***les Voix intérieures.***

1838 — Hugo inaugure le théâtre de la Renaissance avec ***Ruy Blas,*** qui obtient un franc succès (50 représentations). Il prend l'habitude de noter des « choses vues ».

1839 — Intervention auprès de Louis-Philippe en faveur de Barbès, condamné à mort. — Au cours d'un séjour de vacances à Villequier, Léopoldine Hugo s'éprend de Charles Vacquerie. — Victor Hugo fait, en compagnie de Juliette Drouet, un voyage en Alsace, en Rhénanie, en Suisse et dans le Midi.

1840 — Après un nouvel échec à l'Académie, Hugo publie ***les Rayons et les Ombres.*** — Il fait, d'août à octobre, un nouveau voyage sur les bords du Rhin et dans la vallée du Neckar. Il publie, en décembre, *le Retour de l'Empereur,* commémorant ainsi le retour des cendres de Napoléon Ier.

1841 — Soutenu notamment par Thiers et Guizot, Victor Hugo est **élu à l'Académie française;** il fréquente, dès lors, assidûment chez le duc d'Orléans.

1842-1843 — Hugo mène une vie mondaine, publie *le Rhin*, et, devant l'échec des *Burgraves* (mars 1843), décide de renoncer au théâtre. — A peine mariés depuis sept mois, **Léopoldine et Charles Vacquerie se noient,** le 4 septembre 1843, à **Villequier.** Hugo apprend la nouvelle sur le chemin qui le ramenait d'Espagne, où il était en voyage, depuis juillet, avec Juliette Drouet. Son désespoir est immense.

1844-1848 — Hugo cherche un dérivatif dans le monde. Il fréquente le château de Neuilly, résidence de Louis-Philippe, et rêve peut-être d'être le conseiller du roi. Il est créé **pair de France** (1845).

1848-1849 — Après une belle fidélité à Louis-Philippe, Hugo se rallie à la République; cependant, le 24 février 1848, il avait tenté de faire proclamer la régence de la duchesse d'Orléans; élu à l'Assemblée constituante, il fait de vains efforts en faveur d'un apaisement, lors des journées de Juin. Puis il soutient, dans *l'Événement*, journal qu'il a contribué à fonder, la candidature de Louis-Napoléon Bonaparte, par réaction contre Cavaignac. Après son élection à l'Assemblée législative, ses relations avec Louis-Napoléon Bonaparte s'altèrent, en même temps qu'il se brouille avec la droite.

***

1851 — Son opposition au prince-président, puis sa vaine résistance contre le coup d'Etat du 2-Décembre l'obligent à **fuir à Bruxelles** (11 décembre), en même temps que ses collaborateurs de *l'Événement* sont détenus à la Conciergerie. Juliette Drouet, puis son fils Charles le rejoignent en Belgique.

1852 — Il publie (5 août) son pamphlet *Napoléon le Petit*. Il s'installe à Jersey, à Marine Terrace.

1853 — ***Les Châtiments,*** imprimés à Bruxelles, pénètrent en France clandestinement. V. Hugo compose de *Petites Épopées* (premier titre sous lequel il pense publier la future *Légende des siècles*). Il écrit notamment *la Vision de Dante, Au lion d'Androclès*, travaille à *la Fin de Satan* et jette les bases de *Dieu* (œuvres qui paraîtront après sa mort).

1855 — Expulsé de Jersey, il s'établit à Guernesey, à Hauteville House.

1856 — ***Les Contemplations*** (avril) sont un succès.

1859 — Malgré le décret d'amnistie, Hugo refuse de rentrer en France. Première série de ***la Légende des siècles*** (26 septembre).

1861 — Au cours d'un voyage en Belgique, il visite le champ de bataille de Waterloo.

1862 — ***Les Misérables.*** — Voyage sur le Rhin et retour par Bruxelles.

1863-1864 — *Victor Hugo raconté par un témoin de sa vie*, œuvre de sa femme, paraît peu avant *William Shakespeare*.

1865-1869 — Publication des ***Chansons des rues et des bois*** (1865) et des ***Travailleurs de la mer*** (1866). Mort de Mme Hugo à Bruxelles, le 27 août 1868. Hugo publie *L'homme qui rit* (1869).

***

1870 — Inquiet des échecs français, Hugo revient dès le 5 septembre à Paris, où, en simple citoyen, il subit le siège. Sa popularité est immense : après dix-neuf ans d'exil, il apparaît comme le symbole de la fidélité à l'idéal démocratique.

1871 — Élu à l'Assemblée nationale, mais démissionnaire dès le 8 mars, Hugo revient de Bordeaux à Paris pour assister aux obsèques de son fils Charles (mars), alors que commencent les premiers troubles de la Commune. S'il n'approuve pas ce mouvement révolutionnaire, il condamne énergiquement la répression qui suit son échec.

1872-1873 — Son intervention en faveur des communards le rend suspect. Publication de ***l'Année terrible*** (avril 1872); devant la politique réactionnaire du gouvernement français, V. Hugo repart pour Guernesey, où il séjourne; il y compose le poème *Ecrit en exil.* — François-Victor meurt à la fin de 1873.

1874-1876 — Il publie ***Quatrevingt-Treize,*** s'installe à Paris, rue de Clichy, et est élu sénateur. Aux funérailles d'Edgar Quinet, il prononce un discours qui provoque des réactions hostiles de la part de la presse catholique. — Publication des trois volumes d'*Actes et paroles.*

1877 — Publication de ***la Légende des siècles*** (2e série) en février, de ***l'Art d'être grand-père*** (mai), de l'*Histoire d'un crime* (1re partie) [octobre].

1878-1880 — La santé de l'écrivain s'altère, et il n'écrira plus d'œuvre nouvelle jusqu'à sa mort, se contentant de publier des ouvrages créés antérieurement : *le Pape* (1878), *la Pitié suprême* (1879), *Religions et religion,* et *l'Ane* (1880). Il séjourne à Guernesey pendant l'été et une partie de l'automne.

1881 — Le **27 février,** à l'occasion de son anniversaire, 600 000 personnes défilent devant son domicile, avenue d'Eylau — qui, peu après, devient avenue Victor-Hugo —, et Jules Ferry apporte l'hommage du gouvernement. — Publication des *Quatre Vents de l'esprit.*

1882 — *Torquemada,* grand drame en vers.

1883 — Dernière série de ***la Légende des siècles.*** **Mort de Juliette Drouet** (11 mai).

1885 — Victor Hugo **meurt le 22 mai,** d'une crise cardiaque, **à Paris.** Après des funérailles nationales, les cendres du poète sont déposées **dans la crypte du Panthéon** (1er juin).

ŒUVRES POSTHUMES : *la Fin de Satan; le Théâtre en liberté* (1886). *Choses vues* (1887-1900). *Toute la lyre* (1888-1899). *Alpes et Pyrénées* (1890). *Dieu* (1891). *France et Belgique* (1892). *Correspondance* (1896). *Les Années funestes; Amy Robsart; les Jumeaux* (1898). *Lettres à la fiancée; Post-scriptum de ma vie* (1901). *Dernière Gerbe* (1902). *Océan-Tas de pierres* (1942).

V. Hugo avait trente-quatre ans de moins que Chateaubriand, dix-neuf de moins que Stendhal, douze de moins que Lamartine, cinq de moins que Vigny, quatre de moins que Michelet, trois de moins que Balzac. Il avait un an de plus que Mérimée, deux de plus que George Sand et Sainte-Beuve, huit de plus que Musset, neuf de plus que Gautier, seize de plus que Leconte de Lisle.

VICTOR HUGO ET SON TEMPS JUSQU'EN 1843

	la vie et l'œuvre de Victor Hugo	le mouvement intellectuel et artistique	les événements politiques
1802	Naissance de Victor Hugo à Besançon (26 février).	Chateaubriand : *Génie du christianisme* avec *René*.	Vote du sénatus-consulte de l'an X. Bonaparte, consul à vie.
1819	Hugo un des fondateurs du *Conservateur littéraire; Bug-Jargal* (1re version).	Publication des *Œuvres* d'A. de Chénier. Géricault : *le Radeau de la « Méduse »*.	Ministère Decazes : mesures libérales. Lois de Serre favorables à la liberté de la presse.
1822	Mariage avec Adèle Foucher. Publication des *Odes et Poésies diverses*.	Delacroix : *la Barque de Dante*. Champollion déchiffre les hiéroglyphes. Vigny : *Poèmes*.	Congrès de Vérone, Chateaubriand étant ministre des Affaires étrangères.
1823	*Han d'Islande*. Création de *la Muse française*.	Stendhal : *Racine et Shakespeare*. Lamartine : *Nouvelles Méditations; la Mort de Socrate*. Beethoven : *Messe en « ré »*.	Prise de Trocadero près de Cadix (août) par les Français. Déclaration de Monroe. Fin de la Charbonnerie.
1824	*Nouvelles Odes*. Naissance de Léopoldine.	Mort de Byron. Delacroix : *Scènes des massacres de Scio*.	Fin de la résistance espagnole en Amérique du Sud. Mort de Louis XVIII, à qui succède Charles X.
1826	*Bug-Jargal* (2e version). *Odes et Ballades*.	Vigny : *Poèmes antiques et modernes*.	Sièges de Missolonghi et d'Athènes par les Turcs.
1827	*Cromwell* et sa *Préface*.	F. Cooper : *la Prairie*. Ingres : *Apothéose d'Homère*. Mort de Beethoven.	Bataille de Navarin.
1829	*Les Orientales*. *Le Dernier Jour d'un condamné*. *Marion de Lorme*.	Vigny : *Othello*. Balzac : *les Chouans*. Fondation de la *Revue des Deux Mondes*.	Démission de Martignac, remplacé par Polignac. Fin de la guerre russo-turque par le traité d'Andrinople.
1830	*Hernani* (25 février).	Musset : *Contes d'Espagne et d'Italie*. Th. Gautier : *Poésies*. Lamartine : *Harmonies*. Stendhal : *le Rouge et le Noir*.	Prise d'Alger. Révolution de Juillet. Mouvements révolutionnaires en Europe.
1831	*Notre-Dame de Paris*. *Les Feuilles d'automne*.	Balzac : *la Peau de chagrin*. Delacroix : *la Barricade*.	Troubles à Lyon. Soulèvements en Italie. Ecrasement de la révolution polonaise.

1832	*Le roi s'amuse* (interdit).	Musset : *Un spectacle dans un fauteuil.* Vigny : *Stello.* Silvio Pellico : *Mes prisons.* Mort de Goethe, W. Scott, Cuvier.	Méhémet-Ali vainqueur à Konieh. Manifestations pour l'unité allemande à Hambach. Encyclique *Mirari vos* contre le catholicisme libéral.
1833	*Lucrèce Borgia. Marie Tudor.* Liaison avec Juliette Drouet.	G. Sand : *Lélia.* Balzac : *Eugénie Grandet.* Rude : *la Marseillaise.*	Loi Guizot sur l'enseignement primaire. Création de la Société des droits de l'homme.
1834	*Littérature et philosophie mêlées. Claude Gueux.*	Sainte-Beuve : *Volupté.* Balzac : *le Père Goriot.* La Mennais condamné à Rome après les *Paroles d'un croyant.* Musset : *Lorenzaccio.* Mort de Coleridge.	Insurrections d'avril (Lyon et Paris). Quadruple-Alliance (Espagne, Portugal, Grande-Bretagne, France).
1835	*Angelo. Les Chants du crépuscule.*	Vigny : *Chatterton.* Musset : *les Nuits de mai et de décembre.* Conférences de Lacordaire. Gogol : *Tarass Boulba.*	Attentat de Fieschi (juillet). Lois répressives (septembre), concernant notamment la presse.
1837	*Les Voix intérieures.*	Musset : *Un caprice; la Nuit d'octobre.* Dickens : *Olivier Twist.*	Traité de la Tafna : cession à Abd el-Kader des provinces d'Oran et partie d'Alger. Conquête de Constantine.
1838	*Ruy Blas.*	Lamartine : *la Chute d'un ange.* E. A. Poe : *Arthur Gordon Pym.*	Coalition contre Molé. Mort de Talleyrand.
1840	*Les Rayons et les Ombres.*	Sainte-Beuve : *Port-Royal.* G. Sand : *le Compagnon du tour de France.* P. J. Proudhon : *Qu'est-ce que la propriété ?*	Retour des cendres de Napoléon Ier. Traité de Londres. Démission de Thiers. Ministère Guizot.
1842	*Le Rhin.*	Aloysius Bertrand : *Gaspard de la nuit.* E. Sue : *les Mystères de Paris.*	Ministère Guizot (formé depuis 1840). Protectorat français à Tahiti.
1843	*Les Burgraves.* Mort de Léopoldine.	Nerval se rend en Orient.	Querelle scolaire.

VICTOR HUGO ET SON TEMPS DE 1843 À SA MORT

	la vie et l'œuvre de Victor Hugo	le mouvement intellectuel et artistique	les événements politiques
1848	Élection à l'Assemblée constituante.	Dumas fils : *la Dame aux camélias* (roman). Mort de Chateaubriand. Publication des *Mémoires d'outre-tombe.*	Révolution de Février. Mouvements libéraux et nationaux en Italie et en Allemagne.
1852	*Napoléon le Petit.* Début de l'exil. Installation à Marine Terrace, à Jersey.	Th. Gautier : *Emaux et camées.* Leconte de Lisle : *Poèmes antiques.* Dumas fils : *la Dame aux camélias* (drame).	Napoléon III, empereur héréditaire. Cavour, en Savoie-Piémont, est appelé au ministère.
1853	*Les Châtiments.*	Nerval : *Petits Châteaux de Bohême.* H. Taine : *La Fontaine et ses fables.*	Haussmann, préfet de la Seine. Début de la guerre russo-turque (guerre de Crimée).
1856	*Les Contemplations.* Séjour à Hauteville House, à Guernesey; expériences de spiritisme.	Flaubert : *Madame Bovary.* Lamartine : *Cours familier de littérature.* Mort de Schumann.	Congrès et traité de Paris. Expédition de Burton et Speke aux grands lacs africains.
1859	Refus de l'amnistie. *La Légende des siècles* (1re série).	Baudelaire : *Salon de 1859.* Mistral : *Mireille.* Darwin : *De l'origine des espèces.* Wagner : *Tristan et Isolde.*	Amnistie accordée par Napoléon III aux condamnés politiques. Percement de l'isthme de Suez.
1862	*Les Misérables.*	Flaubert : *Salammbô.* Baudelaire : *21 Petits Poèmes en prose.* Leconte de Lisle : *Poèmes barbares.*	Campagne du Mexique. Tentative de Garibaldi contre Rome. Bismarck, Premier ministre.
1864	*William Shakespeare.*	Vigny : *les Destinées* (posthumes). Fustel de Coulanges : *la Cité antique.* Meilhac et Halévy : *la Belle Hélène* (musique d'Offenbach).	Guerre austro-prussienne contre le Danemark. Fondation de l'Internationale. Création du comité des Forges.
1865	*Chansons des rues et des bois.*	Cl. Bernard : *Introduction à la médecine expérimentale.* K. Marx : *le Capital.* Lois de Mendel.	Abolition de l'esclavage aux Etats-Unis. Union télégraphique internationale.
1866	*Les Travailleurs de la mer.*	Verlaine : *Poèmes saturniens.* Premier *Parnasse contemporain.* Dostoïevski : *Crime et châtiment.*	L'Autriche est battue, à Sadowa, par la Prusse, alliée à l'Italie.
1869	*L'homme qui rit.*	Verlaine : *Fêtes galantes.* Flaubert : *l'Éducation sentimentale.*	Inauguration du canal de Suez. Congrès socialiste de Bâle.

1871	Elu député de Paris après son retour d'exil.	Deuxième *Parnasse contemporain.*	Soulèvement parisien de la Commune. Traité de Francfort.
1872	*L'Année terrible.*	Bizet : *l'Arlésienne.* Daumier : *la Monarchie.*	Début du *Kulturkampf.*
1874	*Quatrevingt-Treize.*	Flaubert : *la Tentation de saint Antoine.* Exposition des impressionnistes.	Septennat militaire en Allemagne. Les Anglais aux îles Fidji.
1876	Elu sénateur. *Actes et paroles III.*	Mallarmé : *l'Après-midi d'un faune.* Renoir : *le Moulin de la Galette.*	Mac-Mahon président (depuis 1873). Stanley au Congo.
1877	*La Légende des siècles* (2e série). *L'Art d'être grand-père. Histoire d'un crime.*	Flaubert : *Trois Contes.* E. Zola : *l'Assommoir.* R. Wagner : *Parsifal.*	Crise du 16-Mai : Mac-Mahon renvoie le ministère Jules Simon.
1878	*Le Pape.*	Mort de Claude Bernard. Engels : *l'Anti-Dühring.*	Congrès de Berlin sur la question des Balkans.
1880	*Religions et religion. L'Ane.*	Recueil des *Soirées de Médan.* Mort de G. Flaubert. Maupassant : *Boule-de-Suif.* Dostoïevski : *les Frères Karamazov.*	Premier ministère Jules Ferry. Le 14 juillet devient fête nationale. Loi d'amnistie : retour des anciens communards.
1881	Le 27 février, immense défilé devant son domicile et hommage du gouvernement présenté par Jules Ferry. *Les Quatre Vents de l'esprit.*	Maupassant : *la Maison Tellier.* A. France : *le Crime de Sylvestre Bonnard.* Verlaine : *Sagesse.* Renoir : *le Déjeuner des canotiers.*	Loi sur la liberté de la presse. Élections législatives. Ministère Gambetta. Protectorat sur la Tunisie.
1882	*Torquemada* (drame).	Maupassant : *Mademoiselle Fifi.* Koch découvre le bacille de la tuberculose.	Loi organisant l'enseignement primaire : scolarisation obligatoire. Constitution de la Triple-Alliance (Allemagne-Autriche-Italie).
1883	Mort de Juliette Drouet. *La Légende des siècles* (dernière série).	Maupassant : *Une vie.* Renan : *Souvenirs d'enfance et de jeunesse.* Nietzsche : *Ainsi parla Zarathoustra.*	Ministère Jules Ferry. Guerre du Tonkin. Intervention française à Madagascar.
1885	22 mai : mort de Victor Hugo. 1er juin : funérailles nationales.	E. Zola : *Germinal.* Maupassant : *Bel-Ami.* A. France : *le Livre de mon ami.* Pasteur découvre la vaccination antirabique.	Évacuation de Lang Son. Chute de Jules Ferry. Élections générales : recul des républicains.

BIBLIOGRAPHIE SOMMAIRE

SUR LE ROMANTISME

Pierre Martino — *l'Epoque romantique en France, 1815-1830* (Paris, Hatier, nouv. éd., 1966).

Pierre Moreau — *le Romantisme* (Paris, Del Duca, 1957).

SUR LE DRAME

Émile Faguet — *Drame ancien, drame moderne* (Paris, Armand Colin, 1898).

Michel Liouré — *le Drame* (Paris, Armand Colin, 1963).

SUR LA PRÉFACE DE CROMWELL

Jules Marsan — *la Bataille romantique* (Paris, Hachette, 1912-1924, 2 vol.).
Autour du romantisme (Toulouse, Ed. de l'Archer, 1937).

Maurice Souriau — *la Préface de « Cromwell » de Victor Hugo* (Paris, Société française d'imprimerie et de librairie, 1897).

SUR VICTOR HUGO

Pierre Audiat — *Ainsi vécut Victor Hugo* (Paris, Hachette, 1947).

Paul Berret — *Victor Hugo* (Paris, Garnier, 1927).

Edmond Biré — *Victor Hugo avant 1830* (Paris, J. Gervais; Nantes, E. Grimaud, 1883).

Ernest Dupuy — *la Jeunesse des romantiques. Victor Hugo et Alfred de Vigny* (Paris, Société française d'imprimerie et de librairie, 1905).

Jean Gaudon — *Victor Hugo dramaturge* (Paris, L'Arche, 1955).

Fernand Gregh — *Victor Hugo, sa vie, son œuvre* (Paris, Flammarion, 1954).

Henri Guillemin — *Victor Hugo par lui-même* (Paris, Ed. du Seuil, 1951).

Adèle Hugo — *Victor Hugo raconté par un témoin de sa vie* (Bruxelles, A. Lacroix, Verbroeckhoven et Cie, 1863).

André Le Breton — *la Jeunesse de Victor Hugo* (Paris, Hachette, 1928).

Tristan Legay — *Victor Hugo jugé par son siècle* (Paris, Librairie de la Plume, 1902).

André Maurois — *Olympio ou la Vie de Victor Hugo* (Paris, Hachette, 1954).

PRÉFACE DE CROMWELL

NOTICE

CE QUI SE PASSAIT EN 1827

■ **EN POLITIQUE. En France :** *Villèle est au ministère depuis 1821. Charles X règne depuis 1824. Le pouvoir est aux mains des ultras (« Chambre retrouvée »), sur un programme de retour au passé.*

Avril. *Un projet de loi sur la presse est déposé par le gouvernement : il prévoit le dépôt des articles cinq jours avant leur publication et le paiement d'une taxe de 1 franc sur toute feuille imprimée. Cette « loi de justice et d'amour »* (le Moniteur) *provoque une levée de boucliers : Chateaubriand (qui parle de « loi vandale »), Casimir Perier, Royer-Collard et même l'Académie française expriment leur indignation. Le ministère recule et retire le projet. Mais, dans la soirée du 29, la garde nationale, qui a, au cours d'une revue, accueilli le roi au cri de : « A bas les ministres! », est frappée de dissolution : c'est la rupture entre la bourgeoisie et le régime.*

Juin. *Pour tenter de briser l'opposition qui s'est regroupée contre lui de l'extrême droite (campagne de Chateaubriand dans le* Journal des débats*) à la gauche (obsèques solennelles à Manuel), Villèle rétablit la censure.*

Août. *Une coalition antigouvernementale se constitue autour de Guizot sous l'égide de la société* Aide-toi, le Ciel t'aidera.

Novembre. *Villèle, après avoir créé une « fournée » de 76 pairs, dissout la Chambre des députés afin de provoquer des élections, auxquelles l'opposition n'est pas préparée, selon son opinion. Sa manœuvre échoue : le gouvernement n'obtient que 200 sièges, contre 250 à ses adversaires. C'est la chute du ministère, le 3 janvier 1828.*

En Europe : *C'est l'épilogue de la guerre gréco-turque : la chute d'Athènes suit celle de Missolonghi (1826). La défaite des Grecs semble inévitable lorsque interviennent les « puissances ».*

Juillet. *La France, l'Angleterre (ministère Canning) et la Russie (Nicolas Ier) signent, malgré l'hostilité de l'Autriche (Metternich), le traité de Londres. Il s'agit, pour les trois contractants, d'imposer leur médiation aux belligérants et d'obtenir des Turcs un armistice.*

Octobre. *Le 20, les escadres alliées se présentent dans la rade de Navarin devant la flotte turco-égyptienne. Un coup de canon est tiré contre la frégate de l'amiral français de Rigny, qui riposte. C'est la bataille (« accident sinistre ») et la victoire des Occidentaux, qui aura pour conséquence le conflit russo-turc de 1828-1829.*

■ **DANS LES LETTRES. En France :** *Chateaubriand :* Voyage en Amérique; *édition des Œuvres complètes par Ladvocat (1826-1831). Hugo :* Ode à la Colonne *(février); ode sur* Navarin *(novembre). Scribe :* le Mariage d'argent. *Stendhal :* Armance. *Vigny : adaptation de* Roméo et Juliette *(en collaboration avec Emile Deschamps), reçue « par acclamation » au Théâtre-Français.*

En Italie. *Manzoni :* les Fiancés. *Niccolini :* Antonio Foscarini.

■ **DANS LES ARTS.** *La peinture romantique s'impose par une action de masse : Delacroix* (la Mort de Sardanapale, le Christ au Jardin des Oliviers, la Grèce expirante, Combat du Giaour et du Pacha); *Boulanger* (le Supplice de Mazeppa); *Devéria* (la Naissance de Henri IV).

Ingres, qui expose l'Apothéose d'Homère, *recueille les suffrages des classiques.*

DE LA TRAGÉDIE CLASSIQUE AU DRAME ROMANTIQUE

Première moitié du XVIIIe siècle : la recherche d'un genre nouveau.

L'importance sans cesse croissante de la bourgeoisie détermine, dans les premières décennies du XVIIIe siècle, une évolution sensible du goût et des idées. Un besoin de renouvellement se manifeste, de ce fait, dans les lettres et les arts. Dans le domaine théâtral, où le public s'est élargi, les critiques contre les pièces de facture classique se multiplient. On attaque les principes d'Aristote, on reproche à la règle des unités d'être un facteur d'invraisemblance et on se plaint du peu de place accordée au spectacle. Mais on réclame surtout un théâtre qui puisse intéresser et émouvoir, concerner, en un mot, les nouvelles catégories de spectateurs. Pour répondre aux exigences du public neuf qui s'offre à eux, les écrivains vont se trouver amenés à prendre un certain nombre d'initiatives intéressantes.

Voltaire, tout en prolongeant la tradition tragique du XVIIe siècle, annonce déjà, par quelques-unes de ses innovations, des aspects importants du drame romantique. Une plus grande variété se note dans le choix des sujets : si l'antiquité gréco-latine a toujours droit de cité *(Œdipe, la Mort de César),* elle n'en doit pas moins partager la scène avec le passé national *(Zaïre)* et l'histoire des peuples étrangers *(Mahomet).* Un effort de vérité et d'exactitude se fait sentir dans le décor et le costume, tandis que se manifeste une certaine recherche des effets spectaculaires (coup de canon dans *Adélaïde Du Guesclin,* ombre de Ninus dans *Sémiramis*). De telles nouveautés seront favorablement accueillies par le public.

La comédie, elle aussi, se transforme. Nivelle de la Chaussée fonde, avec *le Préjugé à la mode* (1735), *Mélanide* (1741), *l'Ecole des mères* (1744) et *la Gouvernante* (1747), un genre nouveau, la « comédie larmoyante », que l'on peut considérer comme une première forme de drame. Voltaire, de son côté, tente encore avec *l'Enfant prodigue* (1738) et *Nanine* (1749) de créer ce qu'il appelle un « genre mixte » et qui correspond déjà à un timide essai de mélange des genres.

Simultanément, la scène française s'ouvre à l'influence des littératures étrangères. Les temps sont proches où Diderot se recommandera de la dramaturgie anglaise et où Louis Sébastien Mercier prônera, bien avant la génération romantique, des auteurs comme Calderón, Lope de Vega, Shakespeare et Goldoni.

Seconde moitié du XVIIIe siècle : la naissance de la théorie du drame.

Aux tentatives de renouvellement de la première moitié du siècle succèdent les écrits théoriques de la seconde. Diderot d'abord, une première fois en 1757 avec *le Fils naturel* et les *Entretiens sur « le Fils naturel »*, une seconde fois en 1758 avec *le Père de famille* et le *Discours sur la poésie dramatique*, propose au public contemporain, à la fois une esthétique nouvelle et sa mise en pratique. Beaumarchais le suit dans cette voie et, en 1767, fait précéder son *Eugénie* d'un *Essai sur le genre dramatique sérieux*. Louis Sébastien Mercier, auteur de drames historiques *(Jean Hennuyer, évêque de Lisieux)* et de drames bourgeois *(la Brouette du vinaigrier)*, publie enfin deux ouvrages dans lesquels s'élabore une sorte de synthèse des idées éparses de l'époque; ce sont : *Du théâtre ou Nouvel Essai sur l'art dramatique*, en 1773; *De la littérature et des littérateurs, suivi d'un Nouvel Examen de la tragédie française*, en 1778.

La littérature du XVIIIe siècle étant ce que nous appellerions aujourd'hui une littérature « engagée », on ne s'étonnera pas de ce que les dramaturges considèrent la scène comme une tribune et l'œuvre théâtrale comme un véhicule de la pensée. Le but du genre nouveau, qu'ils s'attachent à définir, sera donc de nature essentiellement didactique. Or, pour enseigner, estiment-ils, il faut émouvoir : de là, une esthétique fondée sur un appel systématique à la sensibilité du spectateur. Le « tableau du malheur d'un honnête homme frappe au cœur », nous explique Beaumarchais; il amène à l'examen de soi et, par voie de conséquence, au désir de se corriger. « Ainsi, affirme l'auteur de l'*Essai sur le genre dramatique sérieux*, je sors du spectacle meilleur que je n'y suis entré, par cela seul que j'ai été attendri. » D'une façon pratique, l'émotion naissant du « sentiment qui nous met en la place de celui qui souffre, au milieu de sa situation », il s'agit, pour l'écrivain de théâtre, d'offrir de la réalité quotidienne une représentation suffisamment exacte pour que, égaré par l'apparence du vrai, son public s'identifie au personnage édifiant proposé par la fiction. « Je sais, disait déjà la favorite des *Bijoux indiscrets* [de Diderot] (1748), que la perfection d'un spectacle consiste dans l'imitation si exacte d'une action que le spectateur, trompé, sans interruption, s'imagine assister à l'action même. » C'est donc, en dernière analyse, un parti pris de réalisme, et de réalisme total, qui devra présider à la composition des œuvres théâtrales. De ce principe général découlent plusieurs conséquences particulières, que nous examinerons successivement.

Le souci de réalisme soulève, d'abord, la question du mélange des genres. Diderot adopte, à ce sujet, une position originale. Le drame tel qu'il le conçoit ne naît pas de la fusion de la comédie et de la tragédie : il relève du genre sérieux, lequel occupe une position intermédiaire entre les extrêmes (« les bornes réelles de la composition dramatique ») que représentent le comique et le tragique. Michel Lioure analyse fort bien cette théorie et sa conséquence lorsqu'il écrit *(le Drame)* : « Plus exigeants que leurs successeurs romantiques, plus étroitement fidèles aux principes du réalisme, *ils* [Diderot et Mercier] *renoncent aux prestiges du sublime comme aux attraits du grotesque,* ne croient pas trouver la vérité dans le rapprochement des extrêmes, mais dans les zones intermédiaires de la vie et de l'âme. L'art consiste non pas à peindre les formes paroxystiques de la passion ou de l'exaspération exceptionnelle des caractères, mais à saisir la perpétuelle instabilité de l'être, les fluctuations du cœur et les nuances de la nature. »

L'adoption de cette esthétique réaliste entraîne, ensuite, le choix de sujets modernes, voire contemporains. « Tandis que mille personnages nous environnent de leurs traits caractéristiques, appellent la chaleur de nos pinceaux et nous commandent la vérité, nous quitterions aveuglément une nature vivante, s'indigne Mercier *(Nouvel Examen de la tragédie française),* [...] pour aller dessiner un cadavre grec ou romain, colorer ses joues froides, habiller ses membres froids, le dresser sur ses pieds tout chancelant, et imprimer à cet œil terne, à cette langue glacée, à ces bras raidis, le regard, l'idiome et les gestes qui sont de convenance sur les planches de nos tréteaux! » L'illusion de la réalité ne pouvant, par ailleurs, être obtenue en peignant des personnages isolés de leur milieu, les dramaturges opposeront, corrélativement à ce choix initial, la « tragédie domestique » à la tragédie classique et la peinture des « conditions » à celle des caractères.

Réalisme, encore, dans le décor, le costume et la mise en scène. Le drame, déclare Mercier *(Du théâtre)* « est fait pour la représentation, et non pour la lecture ». De là l'importance accordée aux attitudes, aux gestes et aux expressions des acteurs : « il y a des scènes entières où il est infiniment plus naturel aux personnages de se mouvoir que de parler », remarque, à ce sujet, Diderot.

Réalisme, enfin, dans le langage. « Ce n'est pas le *langage des dieux* mais le langage des hommes qu'il faut produire sur le théâtre », affirme Mercier *(Du théâtre).* D'où l'emploi délibéré de la prose dans les œuvres théâtrales d'un Diderot, d'un Sedaine et d'un Beaumarchais.

Si ce parti pris de réalisme ne laisse guère d'œuvres marquantes, c'est sans doute en raison même de son caractère systématique et parce que, comme le remarque Mercier, en cela précurseur d'Hugo, « cette imitation absolue » enlève « à l'art ses ressources et sa couleur magique » *(Du théâtre).* Il présente toutefois le très grand intérêt d'avoir, en ouvrant de nouveaux horizons, préparé le terrain à la génération romantique, qui ne manquera d'ailleurs pas de saluer en précurseurs Diderot, Mercier et Beaumarchais. Nous ne pourrions mieux conclure qu'en citant M. Lioure *(le Drame)* : « L'avènement du drame bourgeois clôt définitivement en France l'ère du grand théâtre classique, et rejette dans le passé les genres purs de la tragédie et de la comédie. »

Début du XIXᵉ siècle :
l'élaboration de la conception romantique du drame.

Le XIXᵉ siècle s'ouvre sur la vogue du mélodrame, aboutissement, ainsi que le constate Jules Marsan *(Autour du romantisme),* de « l'évolution un peu confuse de l'art dramatique du XVIIIᵉ siècle ». On retrouve, en effet, dans les pièces de Guilbert de Pixerécourt, « prince du boulevard » et maître en la matière, les principales tendances affichées par les promoteurs du drame bourgeois : volonté d'édification, recherche du pathétique et culte du réalisme. Sans doute, les esthètes considèrent-ils le genre nouveau comme une forme inférieure de théâtre, mais le critique Geoffroy constate déjà : « Si l'on s'avise d'écrire le mélodrame en vers et en français, si on a l'audace de le jouer passablement, malheur à la tragédie! » La génération romantique n'aura plus, en somme, qu'à donner au mélodrame ses lettres de noblesse. Elle disposera, pour l'orienter dans cette tâche, de l'expérience de la tragédie historique, dont Voltaire a fourni le modèle *(Tancrède, Adélaïde Du Guesclin),* et de l'exemple des dramaturges étrangers, au premier rang desquels figurent Shakespeare, Schiller et Manzoni.

Si les œuvres ont, au XVIIIᵉ siècle, précédé les théories, ce sont, au XIXᵉ, les théories qui préparent et sollicitent l'avènement des œuvres. Les années 1800-1827 voient se succéder traités, manifestes, préfaces, articles ou lettres tendant tous, peu ou prou, à une réforme radicale du genre dramatique. Mᵐᵉ de Staël (à qui l'on doit un *Essai sur les fictions*, 1795) publie d'abord, dès 1800, *De la littérature considérée dans ses rapports avec les institutions sociales,* puis, dix ans plus tard et suivant de près les *Réflexions sur la tragédie de « Wallstein » et le théâtre allemand* (1809) de Benjamin Constant, *De l'Allemagne.* Viennent ensuite Simonde de Sismondi avec *De la littérature du midi de l'Europe* (1813), Schlegel avec son *Cours de littérature dramatique,* traduit par Mᵐᵉ Necker de Saussure (1814), et Soumet avec ses *Scrupules littéraires de Mᵐᵉ la baronne de Staël ou Réflexions sur quelques chapitres du livre « De l'Allemagne ».* Après un article retentissant de Charles de Rémusat *(la Révolution du théâtre)* dans *le Lycée français,* en 1820, Guizot, à son tour, produit, en 1821, un *Essai sur la vie de Shakespeare.* Outre le premier *Racine et Shakespeare* de Stendhal et la *Biographie générale* de Villemain, 1823 nous offre, à la suite de la traduction des drames de Manzoni par Fauriel, « divers morceaux sur la théorie de l'art dramatique » : ainsi paraissent la *Lettre à M. C*** sur l'unité de temps et de lieu dans la tragédie,* de Manzoni, et le *Dialogue sur l'unité de temps et de lieu dans les ouvrages dramatiques,* de Visconti. Signalons, pour terminer, en 1824, une campagne du *Globe* tendant à mieux faire connaître Shakespeare, et, en 1825, le second *Racine et Shakespeare,* de Stendhal. De cette profusion, nous tenterons de dégager quelques grandes tendances directrices.

Le drame romantique se définit surtout par opposition à la tragédie telle qu'on la concevait au XVIIe siècle. C'est donc avec les règles classiques et, en premier lieu, avec la plus contraignante d'entre elles, celle des trois unités, qu'il va falloir d'abord rompre en visière. L'unanimité se trouve, sur ce point, réalisée. L'unité d'action (*unita del core,* dit un disciple de Manzoni; « unité d'impression », dit Guizot) est « tout à fait indépendante des deux autres » (Manzoni) et a seule droit de cité : c'est, écrit Mme de Staël *(De l'Allemagne),* « une question si rebattue qu'on n'ose presque pas en reparler ». Quant aux unités de temps et de lieu, contraires aux vérités historique et psychologique, funestes à la vraisemblance dont se sont pourtant toujours réclamés les écrivains les plus divers, elles « ne sont nullement nécessaires à produire l'émotion profonde et le véritable effet dramatique » (Stendhal); elles sont même, affirme Visconti, incompatibles « avec la règle fondamentale de tous les beaux-arts ».

Les théoriciens de la nouvelle dramaturgie sont sans doute plus divisés sur la question du mélange des genres. Mme de Staël l'admet chez les Allemands, mais le condamne chez ses compatriotes : « Nous ne supporterions pas en France le mélange du ton populaire avec la dignité tragique. » Toutefois, et, en particulier, sous l'influence du *Cours de littérature dramatique* (traduit l'année même où Soumet reproche à l'auteur du livre *De l'Allemagne,* qui vient de rentrer en France, une trop grande modération et un certain manque d'audace), le goût semble évoluer rapidement; Guizot, en 1821, loue fort, chez Shakespeare, l'alliance du comique et du tragique.

Le refus des règles et la revendication du mélange des genres participent d'un même souci de donner, sur le théâtre, l'illusion de la réalité. Il est donc dans la logique des choses que les prédécesseurs d'Hugo condamnent, au nom de la vraisemblance, le vieil alexandrin classique. Schlegel lui reproche de bannir le mot propre au profit de la périphrase; pour Stendhal, il « n'est souvent qu'un cache-sottise ». Quant à Mme de Staël, elle déclare : « La pompe des alexandrins est un plus grand obstacle que la routine même du bon goût, à tout changement dans la forme et le fond des tragédies françaises; on ne peut dire en vers alexandrins qu'on entre ou qu'on sort, qu'on dort ou qu'on veille, sans qu'il faille chercher pour cela une tournure poétique. »

Sur un plan plus général, les novateurs prennent, enfin, en faveur de l'exploitation des sources d'inspirations chrétiennes et nationales, une position dont les répercussions se font sentir dans le domaine théâtral. Contre Boileau et sur les traces de Chateaubriand *(le Génie du christianisme)*, Mme de Staël (qui s'inspire, d'ailleurs, également des idées de Goethe), Sismondi et Schlegel, pour nous limiter à ces noms, annexent le christianisme et le Moyen Age (les « siècles grossiers » de *l'Art poétique*) au royaume des lettres.

« Il n'y a ni règles ni modèles! » Le principe de la « liberté dans l'art » semble bien le dénominateur commun des différentes orientations du romantisme naissant. Shakespeare lui-même, malgré tout l'enthousiasme qu'il soulève, est un exemple de ce qu'il est possible de faire, plutôt qu'un véritable modèle à imiter. « N'y a-t-il pas d'ailleurs quelque contradiction à dire à un poète : Soyez vous-même et en même temps : Faites comme ont fait les grands esprits avant vous? » s'interroge Manzoni. « Pour les imiter vraiment, poursuit-il en réponse, il faudrait commencer par ne pas les copier, puisque leur grandeur consiste précisément à ne s'être modelé sur personne. » Quel avenir, dans ces conditions, prédire au théâtre à la veille de la *Préface de « Cromwell »*? Aucun ne le sait, cependant tous pourraient déclarer avec Charles de Rémusat : « Que les amis du passé, que les partisans de l'usage se désolent, mais qu'ils se résignent, une inévitable révolution menace notre théâtre. »

GENÈSE DE LA « PRÉFACE »

Hugo fait ses premières armes de critique dans *le Conservateur littéraire*, journal ultra qu'il fonde avec ses frères Abel et Eugène, en décembre 1819. Le « jeune Jacobite de dix-sept ans » qu'il est à l'époque se montre d'abord aussi traditionaliste dans ses conceptions esthétiques que dans ses opinions politiques. « La Révolution, écrit-il par exemple, naturalisera le drame dans notre littérature, parce que l'on ne pourra guère faire que des pièces de ce genre bâtard sur cette époque monstrueuse. La royale tragédie y est toujours souillée par le drame bourgeois et la farce populacière. » Un certain souci d'objectivité, toutefois, se manifeste déjà chez l'écrivain, qui affirme, dès le premier numéro de son magazine, sa volonté de juger les œuvres indépendamment de toute considération d'ordre idéologique. De fait, il rend justice à Voltaire, unanimement détesté par les monarchistes chrétiens, émet des réserves sur le talent de Delille, poète quasi officiel de la Restauration, et donne la préférence au libéral Delavigne sur le royaliste Ancelot.

Fidélité aux conceptions traditionnelles et sympathie pour les tentatives novatrices alternent, en fin de compte, dans les articles du

Conservateur littéraire. Tel jugement porté sur la *Marie Stuart* de Lebrun est, sans doute, encore d'un classique : « On disait autour de nous, au théâtre, que cette tragédie n'était pas du genre classique, mais de genre romantique; nous n'avons jamais compris cette distinction. Les pièces de Shakespeare et de Schiller ne diffèrent des pièces de Corneille et de Racine qu'en ce qu'elles sont plus défectueuses. » Mais telle prise de position, indéniablement, est déjà d'un romantique : « Vous dites à un poète tout ce qui vous passe par la tête, vous lui dictez des arrêts, vous lui inventez des défauts; s'il se fâche, vous citez Aristote, Quintilien, Longin, Horace, Boileau; s'il n'est pas étourdi de tous ces grands noms, vous invoquez le goût; qu'a-t-il à répondre? Le goût est semblable à ces divinités païennes qu'on respectait d'autant plus qu'on ne savait où les trouver, ni sous quelle forme les adorer. »

Le jeune critique dont Racine et Boileau partagent alors l'admiration avec Chateaubriand et Thomas Moore est-il classique ou romantique? « Classique par le fond des idées, Victor Hugo l'est également du point de vue de la forme », affirme Edmond Biré *(Victor Hugo avant 1830).* Moins catégorique, Maurice Souriau *(la Préface de « Cromwell » de Victor Hugo)* nous paraît plus près de la vérité, qui le juge « classique d'éducation, et romantique d'instinct ».

C'est encore en conciliateur que se présente, en 1824, l'auteur des *Nouvelles Odes.* La préface de ce recueil lui attire pourtant une réplique malveillante du classique Hoffman, qui le juge trop favorable à la nouvelle école. Le poète, qui a déclaré ignorer « profondément ce que c'est que le *genre classique* et que le *genre romantique* », ayant affirmé l'existence d'un monde idéal à côté du monde réel, le critique lui répond dans le *Journal des débats* du 14 juin : « La principale différence qui existe entre les deux genres consiste en ce que les classiques prennent leurs modèles, leurs formes et leurs couleurs dans la nature, dans le monde réel et sensible, tandis que les romantiques les cherchent dans le monde idéal et fantastique. »

Hugo réagit sans tarder et publie, dans les *Débats* du 26 juillet, une réfutation en règle de l'argumentation de son contradicteur. Après s'être, non sans malice, inquiété de savoir « quel moyen ces heureux *romantiques* emploient pour trouver des *formes* et des *couleurs* dans le monde idéal, c'est-à-dire des choses matérielles dans le monde immatériel », il poursuit : « Mais une chose m'embarrasse : ces *formes,* ces *couleurs,* ces *corps,* une fois trouvés au pays des abstractions, appartiennent nécessairement en leur qualité de corps au monde physique; c'est donc au monde physique que les *romantiques* ont, en définitive, emprunté leurs *formes* et leurs *couleurs;* suivant votre définition, on ne peut emprunter de formes et de couleurs au monde réel sans être *classique,* les *romantiques* sont donc des *classiques!* » Un raisonnement fondé sur des exemples empruntés à J.-B. Rousseau (pour lequel « les classiques professent à juste titre le plus profond respect ») démontre ensuite que les classiques ne décrivent pas toujours le monde idéal « à travers le prisme du monde réel ». La distinction opérée par Hoffman ne résiste donc pas à l'analyse, et le poète des *Nouvelles Odes* demeure maître du terrain.

La controverse de 1824 joue un rôle décisif dans la formation du futur chef d'école. D'une part, elle l'oblige à préciser ses idées sur les deux partis en présence et détermine ainsi l'évolution définitive qui, en passant par la préface de l'édition des *Odes* de 1826, aboutit au manifeste de décembre 1827. D'autre part, elle lui permet surtout de trouver un style précis et incisif, parfaitement adapté à la polémique littéraire, qui est déjà, par bien des aspects, le style de la *Préface de « Cromwell »*.

ANALYSE DU TEXTE

(Le texte de la *Préface* étant d'un seul tenant, il a paru utile, pour en faciliter la lecture, d'y introduire un certain nombre de divisions et subdivisions. Les différents TITRES et **sous-titres** ainsi obtenus sont, dans cette analyse, imprimés respectivement en CAPITALES et en **caractères gras.**)

Objet de la « Préface ».

Ni réquisitoire ni plaidoyer, la *Préface de « Cromwell »* est l'exposé des réflexions d'un « solitaire *apprentif* » qui entend se borner à des « considérations générales sur l'art ».

La théorie des trois âges.

Elle se propose tout d'abord, en effet, d'étudier l'évolution de la poésie au cours des trois grandes périodes de l'histoire de l'humanité : les temps primitifs, les temps antiques et les temps modernes.

Durant les **temps primitifs,** l'homme, encore très près de Dieu, mène une vie pastorale et nomade. Il s'émerveille des beautés de la création avec lesquelles il est en contact permanent, et les chante avec extase. Toute lyrique, sa poésie s'exprime dans l'ode et parvient à sa perfection dans la Genèse.

L'instinct social s'éveille et se développe, au régime patriarcal succède le système théocratique : l'homme entre dans les **temps antiques.** Avec les nations apparaissent les guerres et les grands mouvements de peuples. La poésie témoigne de cette évolution : « Elle devient épique, elle enfante Homère. » Toute la littérature antique, en effet, relève de *l'Iliade* et de *l'Odyssée*, qu'elle ne fait que reproduire sous des formes variées (histoire, tragédie).

Le paganisme s'effaçant devant le christianisme, viennent enfin les **temps modernes.** L'homme, qui découvre sa double nature, corporelle et spirituelle, doit s'adapter aux modifications que les bouleversements historiques apportent à sa condition. De profonds changements s'opèrent en lui : il découvre simultanément l'esprit d'examen et le sentiment de mélancolie, inconnus des Anciens. Il éprouve surtout le besoin d'une poésie neuve qui soit en harmonie avec la religion et la société nouvelles en fonction desquelles il organise désormais sa vie, d'une poésie qui, à l'exemple de Dieu, mêle « dans ses créations [...] l'ombre à la lumière, le grotesque au sublime, en d'autres termes, le corps à l'âme, la bête à l'esprit ».

Ainsi naît un principe nouveau, pierre angulaire de la poésie de la « troisième civilisation » : le **grotesque.** Plus varié que le beau, ce type, qui représente la « bête humaine » en face du sublime de l'âme « épurée par la morale chrétienne », est, en effet, « comme moyen de contraste [...] la plus riche source que la nature puisse ouvrir à l'art ». De nombreux exemples, dont l'Arioste, Cervantès et Rabelais, attestent sa fécondité. C'est avec Shakespeare, toutefois, qu'il trouvera sa pleine expression et sa plus juste place.

Or « Shakespeare, c'est le Drame ». Le **drame** est donc la poésie des temps modernes, « poésie complète » qui accueille le grotesque à côté du sublime, « contient », « résume » et « enserre » l'ode et l'épopée. De lui, en effet, participe, malgré les apparences, toute la littérature de la troisième ère du monde : ainsi *le Paradis perdu* et *la Divine Comédie* sont dramatiques avant que d'être épiques.

La théorie du drame.

Le drame s'attache à restituer le réel et, de ce fait, à réaliser l'harmonie des contraires.

Son premier souci est, par conséquent, de pratiquer, de façon systématique, le **mélange des genres** contre lequel se sont, depuis deux siècles, élevés les principaux tenants de la doctrine classique. L'âme et le corps, le terrible et le bouffon, le sublime et le grotesque y ont droit de cité comme dans la réalité : ils y figurent donc comme des nécessités, non comme des convenances. De cette poésie moderne, « trois grands génies caractéristiques de notre scène » peuvent donner au moins une idée; ce sont : Corneille, Molière et Beaumarchais.

La même volonté de vraisemblance qui mène au rejet de la séparation des genres aboutit, tout naturellement, à la **critique des règles.** Comment admettre, en effet, que l'on puisse amener, en un même lieu, « les conspirateurs pour déclamer contre le tyran, le tyran pour déclamer contre les conspirateurs », ou que l'on veuille « verser la même dose de temps à tous les événements »? Le respect de la vérité oblige à reconnaître que « toute action a sa durée propre comme son lieu particulier ». Des trois unités, une seule subsiste donc : l'unité d'action qui « est la loi de perspective du théâtre » et « marque le point de vue du drame ». De grands écrivains, sans doute, se sont pliés aux règles et n'en ont pas moins produit des œuvres de génie. C'est qu'ils ne se sont pas illustrés grâce à elles, mais malgré elles. Les démêlés de Corneille avec l'Académie, à l'occasion de la querelle du *Cid*, sont là pour en témoigner.

Les règles, objectera-t-on peut-être encore, « ont formé les modèles ». Le **problème de l'imitation,** qui se trouve ainsi posé, appelle une précision. Il existe « deux espèces de modèles, ceux qui se sont faits d'après les règles, et, avant eux, ceux d'après lesquels on a fait les règles ». Les grands poètes se situant évidemment dans la première catégorie et l'art ne tablant pas sur la médiocrité, tout artiste doit être créateur, et, partant, s'affranchir de la tutelle de ses devanciers. De là le **principe de la liberté dans l'art,** dénominateur commun des différentes théories énoncées dans la *Préface de « Cromwell »*, et que résume la formule : « Il n'y a ni règles ni modèles. »

Que deviennent, dans une telle optique, les **rapports de l'art et de la nature?** La poésie ne peut, de toute évidence, restituer la réalité intégrale; tout au plus lui est-il possible de la réfléchir comme le ferait un miroir plan et d'en donner une image sinon infidèle, du moins décolorée. Au contraire, le **drame, miroir de concentration,** « loin de les affaiblir, ramasse et condense les rayons colorants », fait « d'une lueur une lumière, d'une lumière une flamme ». De la nature transfigurée « sous la baguette magique de l'art », il ne conserve plus, pour lui donner son plein relief, que le caractéristique, c'est-à-dire la **couleur locale** profonde qui seule peut permettre au poète de ramener « toute figure [...] à son trait le plus saillant, le plus individuel, le plus précis ».

Le commun étant la pierre d'achoppement d'une telle théorie, le poète évitera ce défaut en bannissant la prose au profit du vers. Encore le **vers dramatique** ne saurait-il être cet alexandrin classique stéréotypé que la « jeune littérature » a déjà légitimement condamné. « Libre, franc, loyal, osant tout dire sans pruderie, tout exprimer sans recherche », le mètre nouveau saura « briser à propos et déplacer la césure pour déguiser sa monotonie »; alliant le naturel de la langue de Molière à l'éclat de celle de Corneille, il encadrera la pensée dans « une forme de bronze » et donnera à l'idée « quelque chose de plus incisif et de plus éclatant ».

Cette prise de position en faveur du vers peut, sans doute, être discutée. L'auteur en convient, et c'est pour lui l'occasion de rappeler, à l'issue de cette théorie du drame, que « ce qu'il a plaidé [...] c'est la liberté de l'art contre tous les systèmes ». Ce principe admis, « il n'y a qu'un poids qui puisse faire pencher la balance de l'art : c'est le génie ».

Présentation à la critique.

Il reste, après les généralités des deux premières parties, à traiter, dans une troisième, du cas particulier qui les a suscitées : le drame de *Cromwell*.

Si l'auteur a choisi le **personnage de Cromwell,** c'est qu'il a découvert, en étudiant les chroniques, que, contrairement à l'idée qu'en laisse le « simple et sinistre profil qu'en a tracé Bossuet », le lord-protecteur était « un être complexe, hétérogène, multiple », c'est-à-dire éminemment dramatique. Restait à trouver une situation : l'épisode d'un couronnement interrompu, assez mal connu pour que l'imagination trouve matière à s'y exercer, la lui fournit.

Sur ce thème a été écrite la **pièce de « Cromwell »,** drame en vers, qui, tout compte fait, respecte à peu près la règle des unités. Par contre, entraîné par son sujet, le poète a composé une œuvre dont la longueur démesurée soulève le **problème de la représentation.** *Cromwell* ne pouvant affronter la scène dans son intégralité, il faudrait, avec l'accord de la censure, en produire une version abrégée. Le drame ainsi modifié occuperait, sans doute, encore toute la durée d'une représentation; en raison du mélange des tons qui s'y rencontre, aucune lassitude n'en devrait, toutefois, résulter pour le spectateur.

Au terme de son travail, l'auteur se pose pourtant la question de savoir quel accueil sera réservé à sa pièce et au manifeste qui l'accompagne. Les « disciples de La Harpe » et les héritiers du XVIIIᵉ siècle ne le ménageront vraisemblablement pas. Aussi se prononce-t-il **pour une critique nouvelle,** « forte, franche, savante, une critique du siècle » qui, selon l'expression de Chateaubriand, abandonnera « la critique mesquine des défauts pour la grande et féconde critique des beautés ». Les imperfections, en effet, sauf à provenir « du temps, du climat, des influences locales », ne sont souvent que le revers du talent : « Le génie est nécessairement inégal » et « il n'est donné qu'à certains génies d'avoir certains défauts. »

Quoi qu'il en soit, le dramaturge ne défendra pas son œuvre. Il n'a d'ailleurs fait, dans cette préface, qu'exposer des réflexions personnelles qu'il aurait pu placer sous l'égide d'Aristote ou de Boileau, s'il ne préférait « des raisons à des autorités » et s'il n'aimait mieux « des armes que des armoiries ».

PORTÉE ET INFLUENCE DE LA « PRÉFACE »

« Les idées de M. Victor Hugo sur l'histoire de la poésie lui appartiennent, et elles sont fausses. Ses idées sur les règles de composition du drame sont justes, mais elles ne lui appartiennent pas. » Pour inacceptable qu'il soit sous cette forme catégorique, ce jugement d'Edmond Biré n'en présente pas moins l'avantage de poser nettement le problème de la portée exacte qu'il convient d'attribuer à la *Préface de « Cromwell »*.

Il est certain, et le fait a été souvent constaté, que la partie proprement historique du manifeste d'Hugo est difficilement recevable. Sans insister sur le caractère arbitraire de la division de l'histoire du monde en « trois grands âges » successifs (division que l'on retrouve, d'ailleurs, sous une forme ou sous une autre, chez bon nombre de visionnaires), nous rappellerons quelques-unes des critiques les plus importantes qui lui ont été adressées.

« Les temps primitifs sont lyriques », déclare la *Préface,* et le « poème », l'« ode » qui les représente, « c'est la Genèse ». *Le Génie du christianisme* (1802) s'inscrivait d'avance en faux contre une telle affirmation : Chateaubriand, en effet, y signalait (II, v : *la Bible et Homère*) que les premiers livres de la Bible se rattachent à l'inspiration épique.

« Les temps antiques sont épiques », prétend encore Hugo. C'est là singulièrement méconnaître et les lyriques (Pindare, Anacréon) et les tragiques (Eschyle, Sophocle, Euripide) de l'antiquité grecque. Charles de Rémusat écrira, dès 1828, dans un article du *Globe* : « La tragédie antique offre mille traits qui la distinguent de l'épopée. Si elle n'est pas dramatique ce n'est pas au moins faute de situations fortes, de déchirantes émotions; le théâtre d'Athènes retentissait de cris de douleurs et jamais, peut-être, la terreur tragique ne fut poussée plus loin que sur la scène ensanglantée par les fils de Pélops et de Laïus. »

« Les temps modernes sont dramatiques. » Ce dernier postulat ne semble pas plus solide que les précédents. L'originalité essentielle du drame réside, en effet, aux yeux de notre auteur, dans la place qu'il accorde au grotesque. Or ce prétendu « type nouveau » est loin d'avoir été inconnu de l'Antiquité, il est loin même de s'y être montré « timide » ou d'avoir cherché « à se cacher ». Présent dans *l'Iliade* et *l'Odyssée,* il va s'exposer jusque sur le théâtre, où, nous rappelle Biré, « le *drame satyrique* met en scène les silènes ventrus, les pans au pied de chèvre, les satyres à la tête de bouc ».

Tout pourtant n'est pas négatif dans la *Préface de « Cromwell »,* et la faiblesse des analyses historiques n'en doit pas faire négliger l'intérêt des conceptions artistiques. Sans doute, ce qui relève de la critique littéraire — songeons, en particulier, aux appréciations portées sur Corneille, Molière et Racine — y est-il assez fortement sujet à caution. Mais, pour le porte-drapeau du romantisme, il s'agit plus, en 1827, de détruire l'esthétique classique en en prenant systématiquement, et sur tous les plans, le contre-pied que de dresser un bilan impartial. « Il y a d'abord eu, reconnaît-il lui-même, bien plutôt l'intention de défaire que de faire des poétiques. » Tel est, d'ailleurs, l'objectif avoué de l'avant-garde de la jeune école, que l'on retrouve sous la plume de Dumas *(Comment je devins auteur dramatique)* comme sous celle de Vigny *(Journal d'un poète, passim).* Il n'en demeure pas moins que cette remise en question présente déjà certains aspects constructifs. C'est à ceux-là que nous allons maintenant nous attacher.

Dès le 6 décembre 1827, *le Globe* rend justice à Hugo quant à sa théorie du grotesque : « M. Hugo, y lit-on notamment, peut justement réclamer comme sienne toute cette théorie sur le grotesque. » Si l'auteur de la *Préface* n'énonce pas cette notion de manière très explicite, on peut pallier cette insuffisance en rapprochant la théorie de la pratique, le manifeste des œuvres auxquelles il donne naissance. C'est ainsi que Souriau en arrive à cette définition, somme toute, assez complète : « En général, dans l'art, c'est le laid rapproché du beau, et placé là intentionnellement pour faire contraste, paraissant d'autant plus laid, et mettant en valeur le beau. En particulier, dans la littérature, le grotesque est d'abord tout cela, mais de plus c'est le laid comique, et c'est aussi le laid exagéré : le grotesque est au laid ce que le sublime est au beau : c'est le laid ayant conscience de lui-même, content de sa laideur, le laid lyrique, s'épanouissant dans la fierté de l'horreur qu'il inspire, disant : riez de moi, tant je suis ridicule à côté du sublime; tremblez devant moi tant je suis monstrueux. » Le procédé, nous l'avons vu, n'est pas totalement original; Aristophane, déjà, en a fait un important usage. Il se révèle néanmoins fécond en effets neufs, ce dont les drames postérieurs de son théoricien — lorsqu'il n'en fait pas, il est vrai, un emploi trop systématique — présentent un éclatant témoignage.

Les principes du mélange des genres, du rejet des règles et du refus de l'imitation des modèles, qui sont, ainsi que le constate Souriau, « dans l'air », en 1827, ont, pour leur part, exercé une influence des plus stimulantes sur l'imagination des dramaturges du siècle. Si elle se montre fatale aux écrivains médiocres, la déclaration du droit à la liberté dans l'art qui en découle logiquement a surtout pour effet, tout en leur offrant des terres vierges, d'ouvrir aux jeunes talents des horizons nouveaux. C'est donc elle qui, dans une large mesure, rend possible la révolution théâtrale dont Charles de Rémusat (voir *supra*) annonçait l'imminence.

La *Préface* offre encore une place appréciable à la question de ce que l'on nomme, depuis peu, la « couleur locale » — cette couleur locale qui, nous précise-t-on, ne doit pas être « à la surface du drame », mais « au fond, dans le cœur même de l'œuvre ». Cette idée est-elle plus neuve que les précédentes? L'auteur d'*Atala* et des *Martyrs*, semble-t-il, l'a déjà mise en pratique. « Avant Chateaubriand, nous fait même remarquer Louis Maigron *(le Roman historique à l'époque romantique)*, quelques-uns de nos écrivains ont connu, ont respecté la couleur locale, l'extérieure, aussi bien que l'intérieure : l'extérieure, c'est-à-dire la vérité du décor et du costume, l'intérieure, c'est-à-dire celle des mœurs et des sentiments. Il est possible de trouver de la couleur locale dans d'Urfé et dans Gomberville, dans le *Cyrus* et la *Clélie*. » Le mot lui-même et la théorie qui s'y rattache figurent, en outre, dès 1813, dans *la Gaule poétique* de Marchangy, où l'on peut, parmi plusieurs autres passages, relever (II, 10) : « Qui pourrait méconnaître tout l'agrément que l'historien, le poète et le peintre doivent à leur fidélité pour les mœurs, le costume et *toutes les choses locales. C'est par là qu'un siècle, se distinguant d'un autre, prend la nuance qui lui est propre et qui le place à son rang dans le vague du passé.* » Hugo, une fois de plus, n'apparaît pas tout à fait novateur. Mais un principe ne perd rien de sa valeur pour être emprunté et c'est, avant tout, à l'audience qu'il lui a procurée qu'un écrivain a droit d'être jugé. De ce point de vue, le poète de *Cromwell* mérite, on en conviendra, le pas sur ses devanciers.

C'est, malgré tout, dans l'attitude qu'il adopte à l'égard du vers que l'auteur de la *Préface* se révèle le plus original. Sous l'influence d'écrivains comme Mme de Staël et Stendhal, héritiers en cela du XVIIIe siècle, la tendance générale de l'époque est à la prose. Hugo n'hésite pas à dénoncer leur erreur. Non qu'il ne condamne avec eux l'alexandrin classique qui les a « tant de fois ennuyés », mais il croit fermement, pour sa part, en l'avenir d'un mètre nouveau, plus souple et plus varié, capable de « tout admettre » et de « tout transmettre ». « Prenant comme Protée mille formes sans changer de type et de caractère », « pouvant parcourir toute la gamme poétique, aller de haut en bas, des idées les plus élevées aux plus vulgaires, des plus bouffonnes aux plus graves, des plus extérieures aux plus abstraites », un tel vers, pense-t-il, serait, selon une boutade rapportée par La Harpe *(Lycée)* « aussi beau que de la prose ». On sait comment le poète a rempli le programme qu'il se propose ici et avec quelle légitime fierté il évoquera, dans sa *Réponse à un acte d'accusation,* la déroute des « bataillons serrés d'alexandrins carrés », auxquels il vient, en 1827, de déclarer la guerre.

Pourtant, par-delà tous les problèmes qu'elle soulève et toutes les théories dont elle débat, c'est, paradoxalement, sur la qualité de son style que la *Préface de « Cromwell »* réalise l'unanimité. Si l'on excepte l'opinion de Brunetière pour lequel *(les Epoques du théâtre français)* « tant de si belles métaphores font moins de clarté que de confusion », tous les critiques du XIXe siècle, de Nisard (*Manifeste contre la littérature facile,* 1875) à Souriau (*op. cit.*, 1897), en passant par Biré *(op. cit.)*, Faguet *(le Romantisme en 1827)* et Baudelaire *(l'Art romantique)*, tombent, en effet, d'accord sur ce point. Et là, sans doute, est la raison pour laquelle le manifeste de 1827 a pu faire siennes, en les fixant dans la forme définitive d'une langue sans égale, des idées éparses déjà confusément exprimées. La *Préface* est devenue l'ouvrage de référence indispensable à la compréhension de l'esthétique romantique, éclipsant ainsi tous les autres.

« La *Préface de Cromwell,* dit Théophile Gautier, en 1874, dans son *Histoire du romantisme,* rayonnait à nos yeux comme les tables de la loi sur le Sinaï. » Cet enthousiasme rétrospectif donne une idée de l'accueil que firent au manifeste d'Hugo les milieux romantiques de 1827. La réaction classique, toutefois, ne fut pas moins passionnée, et il est bien difficile de discerner, à travers le tumulte des polémiques, quelle influence exacte exerça cette « Déclaration des Droits littéraires » (Gautier). Sans doute, après le succès d'*Henri III et sa cour*

(11 février 1829), Dumas fait-il précéder la version imprimée de sa pièce d'« Un mot » dans lequel il déclare : « MM. Victor Hugo, Mérimée, Vitet, Loève-Veimars, Cavé et Dittmer ont fondé avant moi et mieux que moi; je les en remercie, ils m'ont fait ce que je suis » — plaçant ainsi au premier rang de ses maîtres un auteur qui n'a encore réussi qu'à faire siffler, à l'Odéon, son mélodrame d'*Amy Robsart*. Sans doute, également, Vigny renonce-t-il, dans son adaptation d'*Othello* (1829), au mélange de vers et de prose pour lequel il a manifesté une certaine sympathie dans un article de *la Muse française* consacré à B. de Sorsum (1824) — se conformant ainsi aux préceptes édictés par son ami. Mais ce sont là des détails qui, pour significatifs qu'ils soient, ne sont pas décisifs.

En réalité, la *Préface de « Cromwell »*, de par les principes mêmes qu'elle défendait, se condamnait à une autorité relativement limitée. La réaction d'un sympathisant comme Vacquerie *(Mes premières années de Paris)* est, de ce point de vue, caractéristique :

> Nous nous en allions dans l'espace, fidèles
> Et libres, comprenant dès notre premier pas
> Qu'on n'imitait Hugo qu'en ne l'imitant pas.

Aussi est-ce sur un plan plus général et d'une manière plus diffuse que s'est exercée son influence.

Elle a, de fait — et c'est là son plus beau titre de gloire —, obligé tous les dramaturges contemporains à réfléchir sur leur art et à remettre leurs méthodes en question. Qu'ils se soient, en fin de compte, prononcés pour ou contre ses principes, tous se sont, bon gré mal gré, situés et définis par rapport à elle. En bref, après sa publication, le théâtre ne pouvait plus, même pour les partisans les plus déterminés des traditions classiques, demeurer tout à fait ce qu'il était auparavant. C'est ce qu'en 1885, Paul de Saint-Victor auquel nous laisserons le mot de la fin, exprimait sous cette forme imagée : « On a comparé souvent l'avènement de l'École nouvelle à l'invasion des Barbares, nous acceptons la comparaison. Là où passait Attila, l'herbe ne germait plus. Là où Victor Hugo a passé, ne repousseront plus les tristes chardons et les fleurettes artificielles des pseudo-classiques. Les réactions auront beau faire, elles ne restaureront pas leurs petits grands hommes; elles ne nous ramèneront pas aux pensums et aux férules des vieilles poétiques. Ceci a tué cela! »

PRÉFACE DE CROMWELL[1]

A MON PÈRE[2].

Que le livre lui soit dédié
Comme l'auteur lui est dévoué[3].

V. H. — 1827. (1)

[OBJET DE LA « PRÉFACE »]

Le drame qu'on va lire n'a rien qui le recommande à l'attention ou à la bienveillance du public. Il n'a point, pour attirer sur lui l'intérêt des opinions politiques, l'avantage du *veto* de la censure[4] administrative, ni même, pour lui concilier tout d'abord la sympathie littéraire des hommes de goût, l'honneur d'avoir été officiellement rejeté par un comité de lecture infaillible[5]. (2)

Il s'offre donc aux regards, seul, pauvre et nu, comme l'infirme de l'Évangile[6], *solus*, *pauper*, *nudus*[7]. (3)

1. Datée de 1828, l'édition princeps de la *Préface de* « *Cromwell* » a été publiée le 4 décembre 1827, à Paris, chez Ambroise Dupont. Le manuscrit original en est conservé à la Bibliothèque nationale; 2. Le père d'Hugo mourut le 29 janvier 1828, soit environ deux mois après cette dédicace; 3. Hugo a noté en marge de son manuscrit : « Oter ces deux lignes dans les réimpressions »; 4. Allusion à l'actualité : la censure a été rétablie en juin 1827; 5. Celui du Théâtre-Français; 6. Aucune mention d'un infirme « seul, pauvre et nu » ne figure dans les Évangiles. Il s'agit probablement d'une confusion de la part d'Hugo. M. Souriau propose les rapprochements suivants : dans les Actes des Apôtres (III, 2), on trouve mentionné le cas d'un infirme solitaire qui demande l'aumône à la *Belle Porte* du temple de Jérusalem; dans l'Apocalypse (III, 17), on rencontre : « Vous dites : je suis riche, je suis comblé de biens, et je n'ai besoin de rien; et vous ne savez pas que vous êtes malheureux, misérable, pauvre, aveugle et nu »; 7. Ces deux premiers paragraphes ne figurent pas dans le texte du manuscrit.

QUESTIONS

1. Cette dédicace vous semble-t-elle comporter une signification particulière? En quoi et comment l'influence du général Hugo se manifeste-t-elle dans l'œuvre de son fils? Justifiez votre opinion au moyen d'exemples précis.

2. Caractérisez le ton employé par Hugo dans ce passage. En quoi est-il déjà significatif de l'attitude adoptée par le jeune écrivain tout au long de cette préface?

3. Pourquoi Hugo a-t-il ajouté ces deux premiers paragraphes au texte original? Quelle importance revêtent-ils en ce début de manifeste?

Ce n'est pas du reste sans quelque hésitation que l'auteur de ce drame s'est déterminé à le charger de notes et d'avant-propos. Ces choses sont d'ordinaire fort indifférentes aux lecteurs. Ils s'informent plutôt du talent d'un écrivain que de ses façons de voir; et, qu'un ouvrage soit bon ou mauvais, peu leur importe sur quelles idées il est assis, dans quel esprit il a germé. On ne visite guère les caves d'un édifice dont on a parcouru les salles, et quand on mange le fruit de l'arbre, on se soucie peu de la racine. **(4)**

D'un autre côté, notes et préfaces sont quelquefois un moyen commode d'augmenter le poids d'un livre et d'accroître, en apparence du moins, l'importance d'un travail; c'est une tactique semblable à celle de ces généraux d'armée, qui, pour rendre plus imposant leur front de bataille, mettent en ligne jusqu'à leurs bagages. Puis, tandis que les critiques s'acharnent sur la préface et les érudits sur les notes, il peut arriver que l'ouvrage lui-même leur échappe et passe intact à travers leurs feux croisés, comme une armée qui se tire d'un mauvais pas entre deux combats d'avant-postes et d'arrière-garde. **(5)**

Ces motifs, si considérables qu'ils soient, ne sont pas ceux qui ont décidé l'auteur. Ce volume n'avait pas besoin d'être enflé, il n'est déjà que trop gros. Ensuite, et l'auteur ne sait comment cela se fait, ses préfaces, franches et naïves, ont toujours servi près des critiques plutôt à le compromettre qu'à le protéger[8]. Loin de lui être de bons et fidèles boucliers, elles lui ont joué le mauvais tour de ces costumes étranges qui, signalant dans la bataille le soldat qui les porte, lui attirent tous les coups et ne sont à l'épreuve d'aucun. **(6)**

---

8. Allusion à la controverse avec Hoffman à l'occasion de la publication des *Nouvelles Odes*. Le *Journal des débats* du 8 janvier 1827 avait encore publié, à propos de la 3e édition des *Odes et Ballades*, un article signé J. V., où l'on pouvait lire cette injonction au jeune poète : « Qu'il se garde surtout d'exposer dans de petites préfaces, ce qu'il appelle ses principes, son système. »

QUESTIONS

4. Ces remarques d'apparence anodine n'ont-elles pas déjà une portée polémique? Laquelle? Vous apprécierez, avec exactitude, la justesse des comparaisons utilisées.

5. En quoi consiste ici l'ironie de Victor Hugo? A qui s'applique-t-elle? Le choix d'une comparaison militaire n'est-il pas significatif d'un certain état d'esprit de l'auteur? Que vaut l'argument développé dans ce paragraphe?

Question 6, v. p. 29.

Des considérations d'un autre ordre ont influé sur l'auteur. Il lui a semblé que si, en effet, on ne visite guère par plaisir les caves d'un édifice, on n'est pas fâché quelquefois d'en examiner les fondements. Il se livrera donc, encore une fois, avec une préface, à la colère des feuilletons. *Che sara, sara*[9]. Il n'a jamais pris grand souci de la fortune de ses ouvrages, et il s'effraye peu du *qu'en dira-t-on* littéraire. Dans cette flagrante discussion qui met aux prises les théâtres et l'école, le public et les académies, on n'entendra peut-être pas sans quelque intérêt la voix d'un solitaire *apprentif*[10] de nature et de vérité, qui s'est de bonne heure retiré du monde littéraire par amour des lettres, et qui apporte de la bonne foi à défaut de *bon goût*, de la conviction à défaut de talent, des études à défaut de science. (7)

Il se bornera du reste à des considérations générales sur l'art, sans en faire le moins du monde un boulevard à son propre ouvrage, sans prétendre écrire un réquisitoire ni un plaidoyer pour ou contre qui que ce soit. L'attaque ou la défense de son livre est pour lui moins que pour tout autre la chose importante. Et puis les luttes personnelles ne lui conviennent pas. C'est toujours un spectacle misérable que de voir ferrailler les amours-propres. Il proteste donc d'avance contre toute interprétation de ses idées, toute application de ses paroles, disant avec le fabuliste espagnol[11] :

---

9. Expression italienne citée approximativement par Hugo : *Cio che sara, sara* serait plus exact. Correspond à notre formule : « Advienne que pourra »; **10.** Pour *apprenti :* orthographe archaïque; **11.** Tomas de Iriarte dans ses *Fabulas literarias* (1782).

QUESTIONS

6. Loin de viser à se concilier ses adversaires, Hugo ne paraît-il pas plutôt chercher à les provoquer? Quel aspect de son caractère peut-on voir percer sous cette volonté de concentrer sur lui les traits de la critique classique?

— La franchise et la naïveté dont il se recommande vous semblent-elles caractériser la présente entrée en matière?

— Se manifestent-elles dans les préfaces antérieures que vous connaissez?

7. Quel intérêt présente la reprise de la comparaison du drame à un édifice dont on visiterait les caves? Sous quel aspect nouveau la question se trouve-t-elle envisagée? — Hugo s'est-il toujours montré aussi indifférent qu'il le prétend à l'égard du qu'en-dira-t-on? Étayez votre réponse sur des faits précis antérieurs à 1827. — N'y a-t-il pas une certaine contradiction entre le style, voire le ton, de l'auteur et la modestie dont il se réclame?

Quien haga aplicaciones
Con su pan se lo coma[12]. (8)

A la vérité, plusieurs des principaux champions des « saines doctrines littéraires » lui ont fait l'honneur de lui jeter le gant, jusque dans sa profonde obscurité, à lui, simple et imperceptible spectateur de cette curieuse mêlée. Il n'aura pas la fatuité de le relever. Voici, dans les pages qui vont suivre, les observations qu'il pourrait leur opposer; voici sa fronde et sa pierre; mais d'autres, s'ils veulent, les jetteront à la tête des Goliaths[13] *classiques*. **(9)**

Cela dit, passons. **(10) (11)**

12. « Celui qui fera des applications, qu'il se le mange avec son pain »; **13.** *Goliath :* géant; du nom du géant philistin dont la Bible (I Samuel, XVII) raconte le combat avec David.

QUESTIONS

8. Cette protestation vous paraît-elle fondée? Précisez les intentions exactes de l'auteur. — Quels procédés met-il en œuvre pour parvenir à ses fins? Quelle est ici l'utilité de la citation?

9. Pourquoi l'expression *saines doctrines littéraires* est-elle entre guillemets? — Hugo n'a-t-il pas déjà relevé un gant qui lui avait été jeté? Dans quelles circonstances? — Dégagez le sens et la valeur de l'allusion biblique. Montrez qu'elle est préparée dès le début du paragraphe. — Hugo n'est-il pas plus belliqueux qu'il ne le laisse supposer? (dans la préface de *Cromwell?* dans les préfaces et articles antérieurs?).

10. Quelle impression produit ici cette expression peu littéraire?

11. SUR L'ENSEMBLE DU PASSAGE. — Quelles remarques le ton et le style de cette entrée en matière vous inspirent-ils quant à la personnalité et au caractère de l'auteur? Ce que vous connaissez de la vie d'Hugo avant la *Préface* confirme-t-il ou infirme-t-il votre première impression? — Étudiez, de façon précise, le cheminement de l'argumentation et montrez la rigueur de l'enchaînement des idées.
— Quelles sont les qualités de polémiste dont Hugo fait preuve dans ce passage?

[LA THÉORIE DES TROIS ÂGES]

Partons d'un fait : la même nature de civilisation, ou, pour employer une expression plus précise, quoique plus étendue, la même société n'a pas toujours occupé la terre. Le genre humain dans son ensemble a grandi, s'est développé, a mûri comme un de nous. Il a été enfant, il a été homme; nous assistons maintenant à son imposante vieillesse. Avant l'époque que la société moderne a nommée antique, il existe une autre ère, que les anciens appelaient *fabuleuse*, et qu'il serait plus exact d'appeler *primitive*. Voilà donc trois grands ordres de choses successifs dans la civilisation, depuis son origine jusqu'à nos jours. Or, comme la poésie se superpose toujours à la société, nous allons essayer de démêler, d'après la forme de celle-ci, quel a dû être le caractère de l'autre, à ces trois grands âges du monde : les temps primitifs, les temps antiques, les temps modernes. **(12)**

[LES TEMPS PRIMITIFS.]

Aux temps primitifs, quand l'homme s'éveille dans un monde qui vient de naître, la poésie s'éveille avec lui[14]. En présence des merveilles qui l'éblouissent et qui l'enivrent, sa première parole n'est qu'un hymne[15]. Il touche encore de si près à Dieu que toutes ses méditations sont des extases, tous ses rêves des visions. Il s'épanche, il chante comme il respire. Sa lyre n'a que trois cordes, Dieu, l'âme, la création; mais ce triple mystère enveloppe tout, mais cette triple idée comprend tout. La terre est encore à peu près déserte. Il y a des familles,

---

14. On retrouve une conception semblable dans « Le sacre de la femme » (*Légende des siècles*, II, I, 37); **15.** *Hymne :* chant ou poème d'invocation et d'adoration. L'hymne est effectivement une forme très ancienne de poésie.

QUESTIONS

12. A quels écrivains du XVIIe siècle Hugo emprunte-t-il cette comparaison de l'évolution de l'humanité à celle d'un homme au cours de sa vie? Dans quelle intention le fait-il? — Commentez l'expression *imposante vieillesse.* Ne risque-t-elle pas de prêter à une interprétation malveillante? Pourquoi? Quel crédit peut-on accorder à la théorie des trois âges telle qu'elle nous est exposée ici? Sur quelles données scientifiques repose-t-elle? Quelles difficultés présente-t-elle quant à la chronologie? Est-elle pourtant totalement dépourvue d'intérêt? Quels aspects positifs est-elle susceptible de nous apporter?

et pas de peuples; des pères, et pas de rois. Chaque race existe à l'aise; point de propriété, point de loi, point de froissements, point de guerres. Tout est à chacun et à tous. La société est une communauté. Rien n'y gêne l'homme. Il mène cette vie pastorale et nomade par laquelle commencent toutes les civilisations, et qui est si propice aux contemplations solitaires, aux capricieuses rêveries. Il se laisse faire, il se laisse aller. Sa pensée, comme sa vie, ressemble au nuage qui change de forme et de route, selon le vent qui le pousse. Voilà le premier homme, voilà le premier poëte. Il est jeune, il est lyrique. La prière est toute sa religion : l'ode est toute sa poésie[16]. **(13)**

Ce poëme, cette ode[17] des temps primitifs, c'est la Genèse[18]. **(14)**

[LES TEMPS ANTIQUES.]

Peu à peu cependant cette adolescence du monde s'en va. Toutes les sphères s'agrandissent; la famille devient tribu, la tribu devient nation. Chacun de ces groupes d'hommes se parque autour d'un centre commun, et voilà les royaumes. L'instinct social succède à l'instinct nomade. Le camp fait place à la cité, la tente au palais, l'arche au temple. Les chefs de ces naissants États sont bien encore pasteurs, mais pasteurs de peuples; leur bâton pastoral a déjà forme de sceptre. Tout s'arrête et se fixe. La religion prend une forme; les rites règlent la prière; le dogme vient encadrer le culte. Ainsi le prêtre et le roi se partagent la paternité du peuple; ainsi à la communauté patriarchale succède la société théocratique.

Cependant les nations commencent à être trop serrées sur le globe. Elles se gênent et se froissent; de là les chocs d'empires,

16. Tout ce passage s'inspire de Chateaubriand; **17.** *Ode :* poème chanté (sens étymologique); **18.** *Genèse :* premier livre de la Bible (Pentateuque).

QUESTIONS

13. Quelles sont, selon Hugo, les deux manifestations essentielles de la personnalité de l'homme primitif? Ne les retrouve-t-on pas chez l'auteur de la *Préface?* Étudiez leur incidence sur le style et le vocabulaire utilisés. — En quoi consiste le romantisme du passage?

14. La *Genèse* peut-elle être considérée comme un poème? Est-elle lyrique? Quelles nuances convient-il d'apporter à l'affirmation catégorique d'Hugo?

la guerre[19]. Elles débordent les unes sur les autres; de là les migrations de peuples, les voyages[20]. La poésie reflète ces grands événements; des idées elle passe aux choses. Elle chante les siècles, les peuples, les empires. Elle devient épique, elle enfante Homère[21]. **(15)**

Homère, en effet, domine la société antique. Dans cette société, tout est simple, tout est épique. La poésie est religion, la religion est loi. A la virginité du premier âge a succédé la chasteté du second. Une sorte de gravité solennelle s'est empreinte partout, dans les mœurs domestiques comme dans les mœurs publiques. Les peuples n'ont conservé de la vie errante que le respect de l'étranger et du voyageur. La famille a une patrie; tout l'y attache; il y a le culte du foyer, le culte des tombeaux[22].

Nous le répétons, l'expression d'une pareille civilisation ne peut être que l'épopée[23]. L'épopée y prendra plusieurs formes, mais ne perdra jamais son caractère. Pindare[24] est plus sacerdotal que patriarchal, plus épique que lyrique[25]. Si les annalistes, contemporains nécessaires de ce second âge du monde, se mettent à recueillir les traditions et commencent à compter avec les siècles, ils ont beau faire, la chronologie ne peut chasser la poésie; l'histoire reste épopée. Hérode[26] est un Homère.

Mais c'est surtout dans la tragédie antique que l'épopée ressort de partout. Elle monte sur la scène grecque sans rien perdre en quelque sorte de ses proportions gigantesques et démesurées. Ses personnages sont encore des héros, des demi-dieux, des dieux; ses ressorts, des songes, des oracles, des fatalités; ses tableaux, des dénombrements, des funérailles, des

---

19. *L'Iliade (note de Victor Hugo)*; **20.** *L'Odyssée (note de Victor Hugo)*; **21.** *Homère :* poète épique grec (IXe siècle av. J.-C.), auteur de *l'Iliade* et de *l'Odyssée*; **22.** On retrouvera cette idée dans *la Cité antique* (1864) de Fustel de Coulanges : « Une famille était un groupe de personnes auxquelles la religion permettait d'invoquer le même foyer et d'offrir le repas funèbre aux mêmes ancêtres »; **23.** *Epopée :* long poème qui relate des aventures héroïques et dans lequel interviennent des éléments merveilleux; **24.** *Pindare :* poète lyrique grec (518-438 av. J.-C.); **25.** Jugement discutable. Les odes de Pindare demeurent le chef-d'œuvre du lyrisme grec; **26.** Hugo veut sans doute parler de l'historien grec Hérodote (v. 484-v. 420 av. J.-C.).

QUESTIONS

15. N'existe-t-il pas, en Orient, d'épopées antérieures à celles d'Homère? Lesquelles? Qu'en concluez-vous?

combats. Ce que chantaient les rapsodes[27], les acteurs le déclament, voilà tout. **(16)**

Il y a mieux. Quand toute l'action, tout le spectacle du poëme épique ont passé sur la scène, ce qui reste, le chœur le prend. Le chœur commente la tragédie, encourage les héros, fait des descriptions, appelle et chasse le jour, se réjouit, se lamente, quelquefois donne la décoration, explique le sens moral du sujet, flatte le peuple qui l'écoute. Or, qu'est-ce que le chœur, ce bizarre personnage placé entre le spectacle et le spectateur, sinon le poète complétant son épopée? **(17)**

Le théâtre des anciens est, comme leur drame, grandiose, pontifical, épique. Il peut contenir trente mille spectateurs; on y joue en plein air, en plein soleil; les représentations durent tout le jour. Les acteurs grossissent leur voix, masquent leurs traits, haussent leur stature; ils se font géants, comme leurs rôles. La scène est immense. Elle peut représenter tout à la fois l'intérieur et l'extérieur d'un temple, d'un palais, d'un camp, d'une ville. On y déroule de vastes spectacles. C'est, et nous ne citons ici que de mémoire, c'est Prométhée[28] sur sa montagne[29]; c'est Antigone cherchant du sommet d'une tour son frère Polynice dans l'armée ennemie *(les Phéniciennes)*[30]; c'est Évadné se jetant du haut d'un rocher dans les flammes

---

27. *Rapsode :* poète qui, dans l'ancienne Grèce, se déplaçait de ville en ville pour réciter ou chanter des poèmes épiques. Hugo utilise l'orthographe archaïque; on écrit aujourd'hui *rhapsode;* **28.** *Prométhée :* l'un des Titans. Ayant dérobé le feu aux dieux et l'ayant donné aux hommes, il fut enchaîné au sommet du Caucase où un aigle, éternellement, lui rongeait le foie; **29.** Voir Eschyle (v. 525-456 av. J.-C.), *Prométhée enchaîné* (vers 88 et suiv.); **30.** *Les Phéniciennes :* tragédie d'Euripide (480-406 av. J.-C.). Fils d'Œdipe et de Jocaste, Étéocle et Polynice devaient régner sur Thèbes, à tour de rôle, chacun pendant un an. Étéocle, une fois sur le trône, refusa d'abandonner le pouvoir; Polynice, soutenu par son beau-père, le roi d'Argos, tenta de faire valoir ses droits par la force. Les frères ennemis finirent par s'entre-tuer. Le « vaste spectacle » est, en fait, une description faite par Antigone (*les Phéniciennes,* vers 156 et suiv.).

QUESTIONS

16. Est-il vraiment possible de ramener, comme le fait Hugo, toute la poésie antique à l'épopée? Un poète comme Pindare, un historien comme Hérodote, des tragédiens comme Sophocle et Euripide sont-ils épiques? — Analysez et discutez les arguments fournis par Hugo à l'appui de sa thèse. En quoi réside leur faiblesse?

17. Cette interprétation du rôle du chœur dans la tragédie antique vous paraît-elle exacte? Justifiez votre opinion en tenant compte de l'évolution de la fonction du choryphée et des choristes depuis les origines du théâtre jusqu'à Aristote, en passant par Eschyle, Sophocle et Euripide.

où brûle le corps de Capanée[31] (*les Suppliantes* d'Euripide)[32]; c'est un vaisseau qu'on voit surgir au port, et qui débarque sur la scène cinquante princesses avec leur suite (*les Suppliantes* d'Eschyle)[33]. Architecture et poésie, là, tout porte un caractère monumental. L'antiquité n'a rien de plus solennel, rien de plus majestueux. Son culte et son histoire se mêlent à son théâtre. Ses premiers comédiens sont des prêtres; ses jeux scéniques sont des cérémonies religieuses, des fêtes nationales. **(18)**

Une dernière observation qui achève de marquer le caractère épique de ces temps, c'est que par les sujets qu'elle traite, non moins que par les formes qu'elle adopte, la tragédie ne fait que répéter l'épopée. Tous les tragiques anciens détaillent Homère[34]. Mêmes fables, mêmes catastrophes, mêmes héros. Tous puisent au fleuve homérique. C'est toujours *l'Iliade* et *l'Odyssée*. Comme Achille traînant Hector, la tragédie grecque tourne autour de Troie. **(19)**

Cependant l'âge de l'épopée touche à sa fin. Ainsi que la société qu'elle représente, cette poésie s'use en pivotant sur elle-même. Rome calque la Grèce, Virgile[35] copie Homère; et,

31. *Capanée :* l'un des sept chefs argiens qui assiégèrent Thèbes avec Polynice. S'étant vanté d'escalader les murs de la ville même contre la volonté des dieux, il fut foudroyé par Zeus. Sa femme, Evadné, se précipita sur son bûcher funéraire; **32.** Cette tragédie raconte comment les mères des Argiens tués devant Thèbes supplièrent les Athéniens de leur faire restituer les corps de leurs fils, et comment Thésée leur obtint satisfaction; **33.** Il s'agit, dans la pièce d'Eschyle, de l'accueil réservé par Pélasgos, roi d'Argos, aux Danaïdes après qu'elles eurent quitté la Libye pour éviter d'épouser les fils d'Egyptos. En réalité, lorsque la scène commence, les princesses ont déjà quitté le vaisseau; **34.** M. Souriau rapproche cette observation d'un passage du *Mémorial de Sainte-Hélène* (daté du 7 mai 1816) : « Homère [...] était un poète, orateur, historien, législateur, géographe, théologien : c'était l'encyclopédiste de son époque »; **35.** *Virgile :* célèbre poète latin (70-19 av. J.-C.), auteur des *Bucoliques*, des *Géorgiques* et d'une épopée nationale, *l'Enéide.*

QUESTIONS

18. En quoi le théâtre antique tel qu'il apparaît ici présente-t-il les caractères de l'épopée? D'autres éléments ne vous semblent-ils pas s'y manifester? Lesquels? Définissez-les avec précision. — Certaines des caractéristiques de l'ancienne tragédie ne seront-elles pas reprises par Hugo lorsqu'il jettera les fondements de sa théorie du drame? Citez-les et montrez en quoi elles s'opposent aux exigences de la doctrine classique.

19. Est-il exact que tous les sujets tragiques de l'Antiquité figurent déjà dans les poèmes homériques? Le cas échéant, cela suffirait-il à prouver que *la tragédie ne fait que répéter l'épopée?* Montrez, en vous appuyant sur des exemples, qu'un même thème peut être traité selon des procédés différents et, par conséquent, donner lieu à des œuvres de natures différentes.

comme pour finir dignement, la poésie épique expire dans ce dernier enfantement.

Il était temps. Une autre ère va commencer pour le monde et pour la poésie. **(20)**

[LES TEMPS MODERNES.]

Une religion spiritualiste, supplantant le paganisme matériel et extérieur, se glisse au cœur de la société antique, la tue, et dans ce cadavre d'une civilisation décrépite dépose le germe de la civilisation moderne. Cette religion est complète, parce qu'elle est vraie; entre son dogme et son culte, elle scelle profondément la morale. Et d'abord, pour premières vérités, elle enseigne à l'homme qu'il a deux vies à vivre, l'une passagère, l'autre immortelle; l'une de la terre, l'autre du ciel. Elle lui montre qu'il est double comme sa destinée, qu'il y a en lui un animal et une intelligence, une âme et un corps; en un mot, qu'il est le point d'intersection, l'anneau commun des deux chaînes d'êtres qui embrassent la création, de la série des êtres matériels et de la série des êtres incorporels, la première partant de la pierre pour arriver à l'homme, la seconde partant de l'homme pour finir à Dieu[36].

Une partie de ces vérités avait peut-être été soupçonnée par certains sages de l'antiquité, mais c'est de l'Évangile que date leur pleine, lumineuse et large révélation. Les écoles payennes marchaient à tâtons dans la nuit, s'attachant aux mensonges comme aux vérités dans leur route de hasard. Quelques-uns de leurs philosophes jetaient parfois sur les objets de faibles lumières qui n'en éclairaient qu'un côté, et rendaient plus grande l'ombre de l'autre. De là tous ces fantômes créés par la philosophie ancienne. Il n'y avait que la sagesse divine qui dût substituer une vaste et égale clarté à toutes ces illuminations

36. Hugo semble ici se souvenir des « deux infinis » de Pascal (*Pensées*, 72).

QUESTIONS

20. Hugo, dans sa volonté de systématisation, ne se montre-t-il pas injuste envers le génie et l'originalité propre de Virgile? Peut-on, par ailleurs, prétendre que l'épopée *expire* avec *l'Enéide?* Quels poèmes célèbres, français ou étrangers, attestent-ils que la veine épique ne s'est pas éteinte avec l'apparition du christianisme?

vacillantes de la sagesse humaine. Pythagore[37], Épicure[38], Socrate[39], Platon[40], sont des flambeaux; le Christ, c'est le jour. **(21)**

Du reste, rien de plus matériel que la théogonie[41] antique. Loin qu'elle ait songé, comme le christianisme, à diviser l'esprit du corps, elle donne forme et visage à tout, même aux essences, même aux intelligences. Tout chez elle est visible, palpable, charnel. Ses dieux ont besoin d'un nuage pour se dérober aux yeux. Ils boivent, mangent, dorment. On les blesse, et leur sang coule[42]; on les estropie, et les voilà qui boitent éternellement[43]. Cette religion a des dieux et des moitiés de dieux. Sa foudre se forge sur une enclume, et l'on y fait entrer, entre autres ingrédients, trois rayons de pluie tordue, *tres imbris torti radios*[44]. Son Jupiter suspend le monde à une chaîne d'or; son soleil monte un char à quatre chevaux; son enfer est un précipice dont la géographie marque la bouche sur le globe; son ciel est une montagne.

Aussi le paganisme, qui pétrit toutes ses créations de la même argile, rapetisse la divinité et grandit l'homme[45]. Les héros d'Homère sont presque de même taille que ses dieux. Ajax défie Jupiter[46]. Achille vaut Mars. Nous venons de voir

---

37. *Pythagore :* philosophe grec (VIe siècle av. J.-C.), fondateur d'une école célèbre pour ses recherches mathématiques et sa mystique des nombres; **38.** *Epicure :* philosophe matérialiste grec (341-270 av. J.-C.), dont la morale consiste en la recherche du bonheur par l'usage des plaisirs naturels; **39.** *Socrate :* philosophe grec (470-399 av. J.-C.), surtout préoccupé de morale, qui, convaincu de la bonté naturelle de l'homme, fonde son système sur la formule « connais-toi toi-même »; **40.** *Platon :* philosophe grec (427-347 av. J.-C.), pour lequel la réalité sensible n'est que la copie d'une réalité absolue, celle des Idées. Il présente, en outre, l'originalité d'avoir affirmé l'existence d'un dieu unique (Démiurge), l'immortalité de l'âme et la nécessité d'une expiation dans la vie terrestre; **41.** *Théogonie :* ensemble des divinités d'une religion donnée; **42.** Arès, dans *l'Iliade* (V, 841-909), est blessé par Diomède; **43.** Allusion à Héphaïstos; **44.** Voir Virgile, *l'Enéide*, VIII, 429. Cette pointe s'adresse probablement à Hoffman, qui reprochait aux romantiques de ne pas décrire le monde idéal à travers le « prisme » du monde réel; **45.** Chateaubriand écrivait déjà dans le *Génie du christianisme* (2e partie, liv. IV, ch. VIII) : « Le plus grand et le premier vice de la mythologie était d'abord de rapetisser la nature »; **46.** Voir *l'Odyssée*, IV, 499-511.

QUESTIONS

21. Sur quoi repose, selon Hugo, la différence essentielle entre le paganisme et le christianisme? Pourquoi l'auteur est-il amené à opérer une distinction aussi catégorique? — L'argumentation de ce passage vous paraît-elle pleinement convaincante? Est-elle suffisamment détaillée et circonstanciée? Quels procédés particuliers sont utilisés pour forcer l'adhésion du lecteur? Démontez-en le mécanisme.

comme au contraire le christianisme sépare profondément le souffle de la matière. Il met un abîme entre l'âme et le corps, un abîme entre l'homme et Dieu. **(22)**

A cette époque, et pour n'omettre aucun trait de l'esquisse à laquelle nous nous sommes aventuré, nous ferons remarquer qu'avec le christianisme et par lui, s'introduisait dans l'esprit des peuples un sentiment nouveau, inconnu des anciens et singulièrement développé chez les modernes, un sentiment qui est plus que la gravité et moins que la tristesse : la mélancolie[47]. Et en effet, le cœur de l'homme, jusqu'alors engourdi par des cultes purement hiérarchiques et sacerdotaux, pouvait-il ne pas s'éveiller et sentir germer en lui quelque faculté inattendue, au souffle d'une religion humaine parce qu'elle est divine, d'une religion qui fait de la prière du pauvre la richesse du riche, d'une religion d'égalité, de liberté, de charité? Pouvait-il ne pas voir toutes choses sous un aspect nouveau, depuis que l'Évangile lui avait montré l'âme à travers les sens, l'éternité derrière la vie? **(23)**

D'ailleurs, en ce moment-là même, le monde subissait une

---

47. Hugo ne fait ici que reprendre les idées du *Génie du christianisme* sur le « vague des passions » (2e partie, liv. III, ch. IX). Musset, dans la première de ses *Lettres de Dupuis et Cotonet* (1836), remarquera plaisamment : « Cette mélancolie inconnue aux anciens ne nous fut pas d'une digestion facile. Quoi! disions-nous, Sapho expirante, Platon regardant le ciel, n'ont pas ressenti quelque tristesse? Le vieux Priam redemandant son fils mort, à genoux devant le meurtrier, et s'écriant : « Souviens-toi de ton père, ô Achille! » n'éprouvait point quelque mélancolie? »

QUESTIONS

22. Hugo se montre-t-il parfaitement équitable à l'égard de la religion des anciens Grecs? N'existe-t-il pas d'intermédiaires entre les dieux et les hommes, dans la hiérarchie antique? Les épisodes mythologiques évoqués ici ne pourraient-ils pas être rapprochés de certains passages de la Bible? Comment expliquez-vous le parti pris de simplification de notre auteur? — Où Hugo puise-t-il ses exemples? Ne prend-il pas trop au pied de la lettre des anecdotes développées en tant que thèmes épiques plutôt que comme articles de foi? Pourrait-on se faire une idée juste du christianisme en se fondant uniquement sur la littérature d'inspiration chrétienne? Montrez que semblable démarche risquerait d'aboutir à une caricature.

23. Comment pourrait-on définir la mélancolie à partir des éléments qui nous sont fournis dans ce paragraphe? Analysez avec précision les raisons pour lesquelles l'auteur estime ce sentiment étranger aux Anciens. — La mélancolie est-elle aussi dépendante du christianisme que le prétend Hugo?

— Connaissez-vous des œuvres antiques où elle se manifeste? des ouvrages chrétiens dont elle soit absente? — En quoi cette théorie est-elle utile à la thèse soutenue dans la *Préface?*

si profonde révolution, qu'il était impossible qu'il ne s'en fît pas une dans les esprits. Jusqu'alors les catastrophes des empires avaient été rarement jusqu'au cœur des populations; c'étaient des rois qui tombaient, des majestés qui s'évanouissaient, rien de plus. La foudre n'éclatait que dans les hautes régions, et, comme nous l'avons déjà indiqué, les événements semblaient se dérouler avec toute la solennité de l'épopée. Dans la société antique, l'individu était placé si bas, que, pour qu'il fût frappé, il fallait que l'adversité descendît jusque dans sa famille. Aussi ne connaissait-il guère l'infortune, hors des douleurs domestiques. Il était presque inouï que les malheurs généraux de l'État dérangeassent sa vie. Mais à l'instant où vint s'établir la société chrétienne, l'ancien continent était bouleversé. Tout était remué jusqu'à la racine. Les événements, chargés de ruiner l'ancienne Europe et d'en rebâtir une nouvelle, se heurtaient, se précipitaient sans relâche, et poussaient les nations pêle-mêle, celles-ci au jour, celles-là dans la nuit. Il se faisait tant de bruit sur la terre, qu'il était impossible que quelque chose de ce tumulte n'arrivât pas jusqu'au cœur des peuples. Ce fut plus qu'un écho, ce fut un contre-coup. L'homme, se repliant sur lui-même en présence de ces hautes vicissitudes, commença à prendre en pitié l'humanité, à méditer sur les amères dérisions de la vie. De ce sentiment, qui avait été pour Caton[48] payen le désespoir, le christianisme fit la mélancolie. **(24)**

En même temps, naissait l'esprit d'examen et de curiosité. Ces grandes catastrophes étaient aussi de grands spectacles, de frappantes péripéties. C'était le Nord se ruant sur le Midi, l'univers romain changeant de forme, les dernières convulsions de tout un monde à l'agonie. Dès que ce monde fut mort, voici que des nuées de rhéteurs[49], de grammairiens, de sophistes[50],

---

48. *Caton :* stoïcien célèbre, qui, enfermé dans la ville d'Utique, s'y suicida après une ultime relecture de *Phédon* (95-46 av. J.-C.); **49.** *Rhéteur :* dans l'Antiquité, professeur d'éloquence; pris ici en mauvaise part; **50.** *Sophiste :* qui se livre à des raisonnements faux, dans l'intention d'induire en erreur.

QUESTIONS

24. Comment Hugo se représente-t-il la société antique? Quel rôle et quelle place y réserve-t-il au citoyen? Son analyse vous semble-t-elle conciliable avec ce que vous connaissez de l'histoire d'Athènes? de Rome? Ne repose-t-elle pas, pourtant, sur une observation exacte et pénétrante? Laquelle? Distinguez-en les divers éléments. — Quelles indications nouvelles nous apportent ces lignes sur la mélancolie telle que la conçoit Hugo?

viennent s'abattre, comme des moucherons, sur son immense cadavre. On les voit pulluler, on les entend bourdonner dans ce foyer de putréfaction. C'est à qui examinera, commentera, discutera. Chaque membre, chaque muscle, chaque fibre du grand corps gisant est retourné en tout sens. Certes, ce dut être une joie, pour ces anatomistes de la pensée, que de pouvoir, dès leur coup d'essai, faire des expériences en grand; que d'avoir, pour premier *sujet*, une société morte à disséquer. **(25)**

Ainsi, nous voyons poindre à la fois et comme se donnant la main, le génie de la mélancolie et de la méditation, le démon de l'analyse et de la controverse. A l'une des extrémités de cette ère de transition, est Longin[51], à l'autre saint Augustin[52]. Il faut se garder de jeter un œil dédaigneux sur cette époque où était en germe tout ce qui depuis a porté fruit, sur ce temps dont les moindres écrivains, si l'on nous passe une expression triviale, mais franche, ont fait fumier pour la moisson qui devait suivre. Le moyen-âge est enté sur le bas-empire. **(26)**

Voilà donc une nouvelle religion, une société nouvelle; sur cette double base, il faut que nous voyions grandir une nouvelle poésie. Jusqu'alors, et qu'on nous pardonne d'exposer un résultat que de lui-même le lecteur a déjà dû tirer de ce qui a été dit plus haut, jusqu'alors, agissant en cela comme le polythéisme et la philosophie antique, la muse purement épique des anciens n'avait étudié la nature que sous une seule face, rejetant sans pitié de l'art presque tout ce qui, dans le monde

51. *Longin :* philosophe et rhéteur grec (213-271), auteur prétendu d'un *Traité du sublime* traduit par Boileau; 52. *Saint Augustin :* célèbre Père de l'Église latine (354-430), auteur d'un livre apologétique, *la Cité de Dieu*, et de *Confessions* qui défient toute classification.

QUESTIONS

25. L'esprit d'examen et de curiosité n'est-il pas antérieur à l'avènement du christianisme? Les philosophes antiques en étaient-ils dépourvus? A quel goût Hugo sacrifie-t-il en formulant cette théorie? — Relevez les mots appartenant au vocabulaire du théâtre. Comment interprétez-vous leur présence ici? — Par quels procédés l'écrivain cherche-t-il à frapper l'imagination du lecteur? Étudiez le réalisme des images, la précision des termes. — Caractérisez le style du passage. Dans quel genre d'écrits le rencontre-t-on habituellement? Vous paraît-il approprié ici?

26. Par quels moyens stylistiques Hugo parvient-il à souligner et à renforcer la rigueur de son raisonnement? Quel effet produit l'*expression triviale* de l'avant-dernière phrase? — La littérature du *Moyen Age* français est-elle tributaire de celle du *Bas-Empire* romain? Dans quels genres particuliers?

soumis à son imitation, ne se rapportait pas à un certain type du beau. Type d'abord magnifique, mais, comme il arrive toujours de ce qui est systématique, devenu dans les derniers temps faux, mesquin et conventionnel. Le christianisme amène la poésie à la vérité. Comme lui, la muse moderne verra les choses d'un coup d'œil plus haut et plus large. Elle sentira que tout dans la création n'est pas humainement *beau*, que le laid y existe à côté du beau, le difforme près du gracieux, le grotesque[53] au revers du sublime, le mal avec le bien, l'ombre avec la lumière. Elle se demandera si la raison étroite et relative de l'artiste doit avoir gain de cause sur la raison infinie, absolue, du créateur; si c'est à l'homme à rectifier Dieu; si une nature mutilée en sera plus belle; si l'art a le droit de dédoubler, pour ainsi dire, l'homme, la vie, la création; si chaque chose marchera mieux quand on lui aura ôté son muscle et son ressort; si, enfin, c'est le moyen d'être harmonieux que d'être incomplet. C'est alors que, l'œil fixé sur des événements tout à la fois risibles et formidables, et sous l'influence de cet esprit de mélancolie chrétienne et de critique philosophique que nous observions tout à l'heure, la poésie fera un grand pas, un pas décisif, un pas qui, pareil à la secousse d'un tremblement de terre, changera toute la face du monde intellectuel. Elle se mettra à faire comme la nature, à mêler dans ses créations, sans pourtant les confondre, l'ombre à la lumière, le grotesque au sublime, en d'autres termes, le corps à l'âme, la bête à l'esprit; car le point de départ de la religion est toujours le point de départ de la poésie. Tout se tient. **(27)**

---

53. *Grotesque :* emprunté de l'italien *(pittura) grottesca,* « dessins capricieux » (semblables à ceux des grottes antiques), le mot se rattache, depuis le XVIIe siècle, à des notions de comique bizarre, d'étrangeté ridicule. Il va prendre, sous la plume d'Hugo, une signification sensiblement nouvelle.

QUESTIONS

27. Comment se définit le grotesque d'après le rapide aperçu qui nous en est donné ici? Était-il totalement absent des épopées homériques? Dans la négative, pourquoi Hugo n'en fait-il pas état? — Montrez que les principes énoncés dans ce passage impliquent une conception manichéenne de l'univers. Cette conception est-elle caractéristique de l'auteur? La retrouvera-t-on dans d'autres œuvres que la *Préface?*

— Comment se manifeste-t-elle dans le domaine stylistique? En quoi les idées de ce paragraphe s'opposent-elles à la doctrine classique? Dans quelle mesure se rapprochent-elles ou se différencient-elles des théories dramatiques du XVIIIe siècle? Que doivent-elles au théâtre de Shakespeare? Appréciez-en l'originalité, la portée et les limites.

[LE GROTESQUE.]

Ainsi voilà un principe étranger à l'antiquité, un type nouveau introduit dans la poésie; et, comme une condition de plus dans l'être modifie l'être tout entier, voilà une forme nouvelle qui se développe dans l'art. Ce type, c'est le grotesque. Cette forme, c'est la comédie. **(28)**

Et ici, qu'il nous soit permis d'insister; car nous venons d'indiquer le trait caractéristique, la différence fondamentale qui sépare, à notre avis, l'art moderne de l'art antique, la forme actuelle de la forme morte, ou, pour nous servir de mots plus vagues, mais plus accrédités, la littérature *romantique* de la littérature *classique*[54]. **(29)**

— Enfin! vont dire ici les gens qui, depuis quelque temps, nous *voient venir*, nous vous tenons! vous voilà pris sur le fait! Donc, vous faites du *laid* un type d'imitation, du *grotesque* un élément de l'art[55]! Mais les grâces... mais le bon goût... Ne savez-vous pas que l'art doit rectifier la nature? qu'il faut *l'anoblir?* qu'il faut *choisir?* Les anciens ont-ils jamais mis en œuvre le laid et le grotesque? ont-ils jamais mêlé la comédie à la tragédie? L'exemple des anciens, Messieurs! D'ailleurs,

54. On remarquera que Victor Hugo, ici comme dans la préface des *Nouvelles Odes*, se refuse à donner une acception précise aux mots *romantique* et *classique*. On ne peut donc suivre Musset qui cherchant une définition du romantisme, écrira *(Lettres de Dupuis et Cotonet)* : « Heureusement [...] parut une illustre préface que nous dévorâmes aussitôt, et qui faillit nous convaincre à jamais. Il y respirait un air d'assurance qui était fait pour tranquilliser, et les principes de la nouvelle école s'y trouvaient détaillés tout au long »; **55.** Hugo éprouve ici le besoin de s'expliquer dans une note assez conséquente dont nous extrayons ces deux phrases : « La division du beau et du laid dans l'art ne symétrise pas avec celle de la nature. Rien n'est beau ou laid dans les arts que par l'exécution. » On ne peut manquer d'opérer le rapprochement avec les deux premiers vers du chant III de *l'Art poétique* de Boileau : « Il n'est point de serpent, ni de monstre odieux, [Qui, par l'art imité, ne puisse plaire aux yeux. »

QUESTIONS

28. La comédie ne s'est-elle pas illustrée pendant l'Antiquité? Hugo l'ignore-t-il? D'autres passages de la *Préface* vous permettent-ils de préciser et de nuancer l'opinion formulée ici de façon catégorique?

29. Pourquoi Hugo se refuse-t-il à donner une signification précise aux termes *classique* et *romantique?* Y a-t-il incertitude de sa part? duplicité polémique? Quelle position a-t-il, jusqu'à présent, adoptée à l'égard des deux tendances? Dans quelle mesure la *Préface* correspond-elle à un tournant de sa pensée?

Aristote[56]... D'ailleurs, Boileau... D'ailleurs, La Harpe[57]... — En vérité! **(30)**

Ces arguments sont solides, sans doute, et surtout d'une rare nouveauté. Mais notre rôle n'est pas d'y répondre. Nous ne bâtissons pas ici de système, parce que Dieu nous garde des systèmes. Nous constatons un fait. Nous sommes historien et non critique. Que ce fait plaise ou déplaise, peu importe! il est. — Revenons donc, et essayons de faire voir que c'est de la féconde union du type grotesque au type sublime que naît le génie moderne, si complexe, si varié dans ses formes, si inépuisable dans ses créations, et bien opposé en cela à l'uniforme simplicité du génie antique; montrons que c'est de là qu'il faut partir pour établir la différence radicale et réelle des deux littératures[58]. **(31)**

Ce n'est pas qu'il fût vrai de dire que la comédie et le grotesque étaient absolument inconnus des anciens. La chose serait d'ailleurs impossible. Rien ne vient sans racine; la seconde époque est toujours en germe dans la première. Dès *l'Iliade*, Thersite[59] et Vulcain[60] donnent la comédie, l'un aux hommes,

---

56. *Aristote :* philosophe grec au savoir encyclopédique (384-322 av. J.-C.), dont la *Poétique* a servi de fondement à la doctrine classique; **57.** *La Harpe :* poète et critique français (1739-1803), surtout connu par son *Lycée ou Cours de littérature ancienne et moderne* (1799). Hugo ne fait ici que rejoindre Stendhal, qui écrivait en 1823, dans son premier *Racine et Shakespeare :* « La lecture de Schlegel et de Dennis m'a porté au mépris des critiques français, Laharpe, Geoffroy, Marmontel, et au mépris de tous les critiques » (ch. II); **58.** Ce paragraphe et le précédent (depuis *Enfin! vont dire ici les gens...*) sont ajoutés en marge sur le manuscrit; **59.** *Thersite :* soldat achéen, demeuré célèbre pour sa laideur, son insolence et sa lâcheté; frappé d'un coup de sceptre par Ulysse (*l'Iliade*, II, 212-277); **60.** *Vulcain :* en réalité, Héphaïstos (*l'Iliade*, I, 571-600; XVIII, 468-617; XXI, 342-382; etc.).

QUESTIONS

30. Caractérisez le ton de ce passage. Est-il familier à Victor Hugo? Où l'a-t-il déjà employé? — A qui s'en prend l'auteur? Relevez et commentez les mots ou expressions qui renvoient, sans contestation possible, aux théories classiques. — L'ironie suffit-elle à prouver le bien-fondé de l'opinion soutenue? Quel avantage présente son utilisation ici? Quels arguments pourrait-on opposer à la thèse défendue par Hugo? Comporte-t-elle néanmoins des éléments positifs? Lesquels?

31. Hugo est-il aussi éloigné de tout esprit de système qu'il veut bien le laisser entendre? Cherchez éventuellement, dans la *Préface*, des exemples qui vous permettent de soutenir l'opinion contraire. — Notre auteur est-il vraiment *historien et non critique?* N'avez-vous rencontré aucune faille dans cette partie historique de son manifeste? Justifiez votre réponse au moyen d'exemples précis. — En quoi ce paragraphe et les trois précédents vous permettent-ils de compléter la définition du grotesque tel que l'envisage Hugo?

l'autre aux dieux. Il y a trop de nature et trop d'originalité dans la tragédie grecque, pour qu'il n'y ait pas quelquefois de la comédie. Ainsi, pour ne citer toujours que ce que notre mémoire nous rappelle, la scène de Ménélas[61] avec la portière du palais (*Hélène*, acte I)[62]; la scène du Phrygien (*Oreste*, acte IV)[63]. Les tritons[64], les satyres[65], les cyclopes[66], sont des grotesques; les sirènes[67], les furies[68], les parques[69], les harpies[70], sont des grotesques; Polyphème[71] est un grotesque terrible[72]; Silène[73] est un grotesque bouffon. **(32)**

Mais on sent ici que cette partie de l'art est encore dans l'enfance. L'épopée, qui, à cette époque, imprime sa forme à tout, l'épopée pèse sur elle, et l'étouffe. Le grotesque antique est timide, et cherche toujours à se cacher. On sent qu'il n'est pas sur son terrain, parce qu'il n'est pas dans sa nature. Il se dissimule le plus qu'il peut. Les satyres, les tritons, les sirènes sont à peine difformes. Les parques, les harpies sont plutôt hideuses par leurs attributs que par leurs traits; les furies sont belles, et on les appelle *euménides*, c'est-à-dire *douces*, *bienfaisantes*[74]. Il y a un voile de grandeur ou de divinité sur

---

61. *Ménélas :* roi grec, fondateur légendaire de Lacédémone et époux infortuné d'Hélène; **62.** Allusion à la tragédie d'Euripide (v. 443-482); **63.** Voir les vers 1506 à 1527 de la pièce d'Euripide; **64.** *Tritons :* divinités marines (fils de Poséidon et d'Amphitrite); **65.** *Satyres :* dieux rustiques pourvus d'une queue, de cornes et de jambes de bouc; **66.** *Cyclopes :* géants pourvus d'un œil unique au milieu du front; le plus célèbre, Polyphème, fut aveuglé par Ulysse (*l'Odyssée*, I, 68-73); **67.** *Sirènes :* filles de Melpomène et d'Achéloos qui, symboles des dangers de la mer, attiraient, par leurs chants, les navigateurs sur les écueils (*l'Odyssée*, XII, 39-46 et 182-200); **68.** *Furies :* divinités infernales des Romains (analogues des Érinyes grecques); **69.** *Parques :* trois déesses infernales qui filaient, dévidaient et coupaient le fil des vies humaines; **70.** *Harpies :* divinités funéraires (filles de Thaumas et d'Électre), souvent confondues avec les Furies; **71.** *Polyphème :* voir note 66; **72.** Tel est le cas dans *l'Odyssée* (IX) mais non, ainsi que le remarque M. Souriau, dans la XIe idylle de Théocrite où le cyclope fait « paître mille brebis »; **73.** *Silène :* dieu des Sources et des Fleuves, père nourricier de Dionysos et père des satyres; **74.** C'est, en réalité, par antiphrase et pour conjurer le mauvais sort, que l'on désignait par le terme *Euménides* (« Bienveillantes ») les infernales Érinyes, déesses de la Vengeance. Musset écrit à ce propos *(Lettres de Dupuis et Cotonet) :* « Dans la susdite préface [...], l'antiquité nous semblait comprise d'une assez étrange façon. [...] Il nous étonnait que l'auteur pût ignorer que l'antiphrase est au nombre des tropes. »

QUESTIONS

32. Quel avantage Hugo cherche-t-il à retirer de son apparente objectivité? Répond-il de façon satisfaisante à l'objection qu'il soulève lui-même? Par quel biais l'élude-t-il au moins en partie? — Les exemples cités se rattachent-ils tous à la forme comique et au type grotesque? Essayez d'en discuter quelques-uns avec précision. Comique et grotesque sont-ils, d'ailleurs, aussi indissociablement unis qu'entend nous le faire admettre l'auteur? — Quels sont les principaux procédés de style utilisés dans le passage? Renforcent-ils l'argumentation? Comment?

d'autres grotesques. Polyphème est géant; Midas[75] est roi; Silène est dieu. **(33)**

Aussi la comédie passe-t-elle presque inaperçue dans le grand ensemble épique de l'antiquité. A côté des chars olympiques, qu'est-ce que la charrette de Thespis[76]? Près des colosses homériques, Eschyle, Sophocle, Euripide, que sont Aristophane et Plaute[77]? Homère les emporte avec lui, comme Hercule emportait les pygmées[78], cachés dans sa peau de lion. **(34)**

Dans la pensée des modernes, au contraire, le grotesque a un rôle immense. Il y est partout; d'une part, il crée le difforme et l'horrible; de l'autre, le comique et le bouffon. Il attache autour de la religion mille superstitions originales, autour de la poésie mille imaginations pittoresques. C'est lui qui sème à pleines mains dans l'air, dans l'eau, dans la terre, dans le feu, ces myriades d'êtres intermédiaires que nous retrouvons tout vivants dans les traditions populaires du moyen-âge; c'est lui qui fait tourner dans l'ombre la ronde effrayante du sabbat[79], lui encore qui donne à Satan les cornes, les pieds de bouc, les ailes de chauve-souris. C'est lui, toujours lui, qui tantôt jette dans l'enfer chrétien ces hideuses figures qu'évoquera l'âpre

---

75. *Midas :* roi phrygien (715-676 av. J.-C.). Ayant, selon la légende, préféré les talents musicaux de Marsyas à ceux d'Apollon, il fut doté d'oreilles d'âne par le dieu mécontent; **76.** *Thespis :* poète grec, créateur de la tragédie (VIe s. av. J.-C.); **77.** *Aristophane :* le plus grand des comiques grecs (445-386 av. J.-C.). *Plaute :* comique latin (254-184 av. J.-C.), auquel Molière empruntera beaucoup. « Ces deux noms sont ici réunis, mais non confondus. Aristophane est incomparablement au-dessus de Plaute; Aristophane a une place à part dans la poésie des anciens, comme Diogène dans leur philosophie » *(note de Victor Hugo)*; **78.** *Pygmées :* nains mythologiques habitant l'Éthiopie. Attaqué par eux, Hercule les écrasa sous sa peau de lion; **79.** *Sabbat :* assemblée de sorciers et de sorcières, présidée par le diable.

QUESTIONS

33. Hugo n'affaiblit-il pas sensiblement sa théorie en cherchant à en préciser et à en nuancer les données? Quels arguments nous fournit-il lui-même contre sa thèse? — L'épopée joue-t-elle à l'égard des autres genres littéraires le rôle qui lui est prêté ici? En quoi le IXe chant de *l'Odyssée*, par exemple, imprime-t-il sa forme au *Cyclope* d'Euripide?

34. L'auteur ne fait-il pas bon marché des comiques de l'Antiquité gréco-latine? Se montre-t-il totalement équitable envers Aristophane et Plaute? Est-il légitime de les comparer aux grands tragiques antiques? Peut-on effectivement les placer aussi radicalement dans la dépendance des poèmes homériques? — Comment Hugo cherche-t-il à entraîner la conviction? Montrez que, sous le couvert de formules à l'emporte-pièce, il ne procède que par affirmation sans apporter d'éléments nouveaux dans le débat.

génie de Dante et de Milton[80], tantôt le peuple de ces formes ridicules au milieu desquelles se jouera Callot[81], le Michel-Ange[82] burlesque[83]. Si du monde idéal il passe au monde réel, il y déroule d'intarissables parodies de l'humanité. Ce sont des créations de sa fantaisie que ces Scaramouches, ces Crispins, ces Arlequins[84], grimaçantes silhouettes de l'homme, types tout à fait inconnus à la grave antiquité, et sortis pourtant de la classique Italie. C'est lui enfin qui, colorant tour à tour le même drame de l'imagination du Midi et de l'imagination du Nord, fait gambader Sganarelle autour de don Juan[85] et ramper Méphistophélès autour de Faust[86]. **(35)**

Et comme il est libre et franc dans son allure! comme il fait hardiment saillir toutes ces formes bizarres que l'âge précédent avait si timidement enveloppées de langes! La poésie antique, obligée de donner des compagnons au boiteux Vulcain[87], avait

---

80. Dante (1265-1321) dans sa *Divine Comédie*, Milton (1608-1674) dans son *Paradis perdu;* **81.** *Callot :* graveur français (1592-1635), qui s'est illustré dans les scènes satiriques et réalistes; **82.** *Michel-Ange :* sculpteur, peintre, architecte et poète de la Renaissance italienne (1475-1564), à qui l'on doit notamment la décoration de la chapelle Sixtine; **83.** Cette opinion exprimée par Gresset (1709-1777) a déjà été combattue par Mariette (1694-1774) : « Il [Callot] est l'auteur de figures grotesques, mais il les emploie avec choix. On ne le voit point les employer pour dégrader des sujets sérieux »; **84.** Trois personnages du théâtre italien; **85.** Allusion à la pièce de Molière : Sganarelle est le serviteur de dom Juan; **86.** *Faust :* personnage légendaire, qui, avide de science et de plaisir, vendit son âme au diable (Méphistophélès), lequel s'engageait, en contrepartie, à le servir dans l'assouvissement de ses désirs. La première partie du drame inspiré à Goethe par cette histoire parut en 1808. — « Ce grand drame de l'homme qui se damne domine toutes les imaginations du moyen-âge. Polichinelle, que le diable emporte, au grand amusement de nos carrefours, n'en est qu'une forme triviale et populaire. [...] Don Juan, c'est le corps; Faust, c'est l'esprit. Ces deux drames se complètent l'un par l'autre » *(note de Victor Hugo) ;* **87.** *Vulcain :* fils de Jupiter et de Junon, dieu du Feu et du Travail des métaux (homologue romain d'Héphaïstos).

QUESTIONS

35. Analysez avec précision la théorie exposée dans ce paragraphe. Quel rôle y joue le christianisme? Quelle place y occupent les superstitions populaires? Comment envisagez-vous maintenant la notion de « grotesque »? En quoi s'enrichit-elle ici? — Caractérisez l'imagination d'Hugo dans ces lignes. En quoi laisse-t-elle déjà prévoir le grand poète visionnaire de la maturité? Quels en sont les éléments fantastiques? — Appréciez l'exactitude de la thèse qui vous est proposée. Le grotesque est-il vraiment *partout* dans *la pensée des modernes?* Se manifeste-t-il dans la littérature classique? Dans quelle mesure sera-t-il utilisé par les romantiques? — Est-il bien exact d'affirmer que l'Antiquité n'a pas connu de *grimaçantes silhouettes de l'homme?* Les Scaramouches, Crispins et Arlequins dont fait mention Hugo n'ont-ils aucun ancêtre dans la comédie antique? Qu'y a-t-il de grotesque dans le *Dom Juan* de Molière? dans le *Faust* de Goethe?

tâché de déguiser leur difformité en l'étendant en quelque sorte sur des proportions colossales. Le génie moderne conserve ce mythe des forgerons surnaturels, mais il lui imprime brusquement un caractère tout opposé et qui le rend bien plus frappant; il change les géants en nains; des cyclopes il fait les gnomes[88]. C'est avec la même originalité qu'à l'hydre, un peu banale, de Lerne[89], il substitue tous ces dragons locaux de nos légendes, la gargouille[90] de Rouen, la gra-ouilli de Metz, la chairsallée de Troyes, la drée de Montlhéry, la tarasque de Tarascon[91], monstres de formes si variées et dont les noms baroques sont un caractère de plus[92]. Toutes ses créations puisent dans leur propre nature cet accent énergique et profond devant lequel il semble que l'antiquité ait parfois reculé. Certes, les euménides grecques sont bien moins horribles, et par conséquent bien moins vraies, que les sorcières de *Macbeth*[93]. Pluton[94] n'est pas le diable. **(36)**

Il y aurait, à notre avis, un livre bien nouveau à faire sur l'emploi du grotesque dans les arts. On pourrait montrer quels puissants effets les modernes ont tirés de ce type fécond sur lequel une critique étroite s'acharne encore de nos jours. Nous serons peut-être tout à l'heure amené par notre sujet à signaler en passant quelques traits de ce vaste tableau. Nous dirons seulement ici que, comme objectif auprès du sublime, comme moyen de contraste, le grotesque est, selon nous, la plus riche source que la nature puisse ouvrir à l'art. Rubens[95] le comprenait sans doute ainsi, lorsqu'il se plaisait à mêler à des

---

88. *Gnomes :* esprits de la terre et des montagnes, gardiens des trésors souterrains. On les imaginait difformes et de petite taille; **89.** *Hydre de Lerne :* serpent monstrueux vivant dans le marais de Lerne (Argolide). Elle fut tuée par Héraclès; **90.** *Gargouille :* serpent hideux qui ravageait la région de Rouen; un saint évêque, Romain, en débarrassa la contrée. Il s'agit sans doute d'un symbole du paganisme vaincu; **91.** Homologues plus ou moins différenciés de la Gargouille : chaque ville du Moyen Age conservait la tradition d'un monstre légendaire et honorait la mémoire du héros qui l'en avait délivrée; **92.** Cette phrase ne figure pas dans le texte du manuscrit; **93.** Allusion aux trois sorcières du drame de Shakespeare; **94.** *Pluton :* dieu souterrain, régnant sur les morts, mais présidant également à la richesse agricole; **95.** *Rubens :* le plus grand peintre flamand (1577-1640). L'influence du Nord et celle du Midi se font également sentir dans son œuvre, où se rencontrent les genres les plus divers.

QUESTIONS

36. En quoi se différencient, selon Hugo, les monstres antiques et les monstres du Moyen Age? La distinction opérée vous semble-t-elle fondée? — Quel effet produit l'accumulation des exemples? L'étrangeté des noms cités? Le style de ces lignes est-il caractéristique de l'écrivain?

déroulements de pompes royales, à des couronnements, à d'éclatantes cérémonies, quelque hideuse figure de nain de cour. Cette beauté universelle que l'antiquité répandait solennellement sur tout n'était pas sans monotonie; la même impression, toujours répétée, peut fatiguer à la longue. Le sublime sur le sublime produit malaisément un contraste, et l'on a besoin de se reposer de tout, même du beau. Il semble, au contraire, que le grotesque soit un temps d'arrêt, un terme de comparaison, un point de départ d'où l'on s'élève vers le beau avec une perception plus fraîche et plus excitée. La salamandre[96] fait ressortir l'ondine[97]; le gnome embellit le sylphe[98]. (37)

Et il serait exact aussi de dire que le contact du difforme a donné au sublime moderne quelque chose de plus pur, de plus grand, de plus sublime enfin que le beau antique; et cela doit être. Quand l'art est conséquent avec lui-même, il mène bien plus sûrement chaque chose à sa fin. Si l'élysée[99] homérique est fort loin de ce charme éthéré, de cette angélique suavité du Paradis de Milton, c'est que sous l'éden[100] il y a un enfer bien autrement horrible que le tartare[101] payen. Croit-on que Françoise de Rimini et Béatrix seraient aussi ravissantes chez un poëte qui ne nous enfermerait pas dans la tour de la Faim et ne nous forcerait point à partager le repoussant repas d'Ugolin[102]? Dante n'aurait pas tant de grâce, s'il n'avait pas tant de force. Les naïades[103] charnues, les robustes tritons, les

96. *Salamandre :* nom donné par les sorciers aux esprits du feu vivant au centre de la terre; 97. *Ondine :* esprit des eaux dans les croyances populaires scandinaves et germaniques; 98. *Sylphe :* être intermédiaire entre le lutin et la fée (légendes celtes et germaniques); 99. *Elysée :* séjour des âmes des hommes vertueux dans les enfers païens; 100. *Eden :* le paradis terrestre dans l'Ancien Testament; 101. *Tartare :* séjour des âmes des réprouvés dans les enfers païens; 102. Personnages de *la Divine Comédie. Francesca da Rimini,* femme du difforme Lanciotto, expie éternellement son amour pour Paolo. Aimée de Dante, *Béatrice Portinari* est censée, après sa mort, veiller, du haut des cieux, sur le poète. Enfermé dans la tour de la Faim à Pise, le tyran *Ugolino Della Gherardesca* aurait voulu se nourrir de la chair de ses enfants; 103. *Naïades :* divinités grecques des Fontaines et des Rivières.

QUESTIONS

37. Quels dangers risquerait de présenter une esthétique fondée essentiellement sur le jeu des contrastes? Hugo l'a-t-il mise en application dans son théâtre? Les résultats obtenus se sont-ils révélés probants? — Connaissez-vous d'autres œuvres répondant aux exigences de ce passage de la *Préface?* Le théâtre de Shakespeare est-il grotesque (au sens hugolien du terme)? — N'existe-t-il pas un autre moyen de pratiquer le mélange des genres que celui qui nous est présenté ici?

zéphyrs[104] libertins ont-ils la fluidité diaphane de nos ondins et de nos sylphides? N'est-ce pas parce que l'imagination moderne sait faire rôder hideusement dans nos cimetières les vampires, les ogres[105], les aulnes[106], les psylles, les goules[107], les brucolaques, les aspioles[108], qu'elle peut donner à ses fées cette forme incorporelle, cette pureté d'essence dont approchent si peu les nymphes payennes? La Vénus antique est belle, admirable sans doute; mais qui a répandu sur les figures de Jean Goujon[109] cette élégance svelte, étrange, aérienne? qui leur a donné ce caractère inconnu de vie et de grandiose, sinon le voisinage des sculptures rudes et puissantes du moyen-âge? **(38)**

Si, au milieu de ces développements nécessaires, et qui pourraient être beaucoup plus approfondis, le fil de nos idées ne s'est pas rompu dans l'esprit du lecteur, il a compris sans doute avec quelle puissance le grotesque, ce germe de la comédie, recueilli par la muse moderne, a dû croître et grandir dès qu'il a été transporté dans un terrain plus propice que le paganisme

---

104. *Zéphyrs :* dieux personnifiant les vents d'Ouest; **105.** Dans les superstitions populaires, les *vampires* sont des morts qui, sortis du tombeau, vont nuitamment aspirer le sang des vivants endormis; les *ogres*, des géants qui se nourrissent de chair humaine; **106.** « Ce n'est pas à l'aulne, arbre, que se rattachent, comme on le pense communément, les superstitions qui ont fait éclore la ballade allemande du *Roi des Aulnes*. Les Aulnes (en bas latin *alcunæ*) sont des façons de follets qui jouent un certain rôle dans les traditions hongroises » *(note de Victor Hugo) ;* **107.** Les *psylles*, les *goules* et, plus loin, les *aspioles* ont été rajoutés après coup sur le manuscrit; **108.** Charles Nodier, dans son *Smarra* (1821), décrit les *aspioles*, « qui ont le corps si frêle, si élancé, surmonté d'une tête difforme mais riante, et qui se balancent sur les ossements de leurs jambes vides et grêles, semblable à un chaume stérile agité par le vent »; les *psylles*, « qui sucent un venin cruel, et qui, avides de poisons, dansent en rond, en poussant des sifflements aigus pour éveiller les serpents »; les *goules*, qui « pâles, impatientes, affamées, [...] brisaient les ais des cercueils, déchiraient les vêtements sacrés [...]; se partageaient d'affreux débris avec une plus affreuse volupté »; **109.** *Goujon :* sculpteur et architecte français (1510-1569). On lui doit, en particulier, la fontaine des Innocents et la décoration de certaines parties du Louvre.

QUESTIONS

38. Pourquoi, d'après ce passage, l'art des Modernes est-il supérieur à celui des Anciens? Les contrastes accentués produisent-ils nécessairement les effets que l'auteur leur prête ici? Don César de Bazan sert-il véritablement à mettre en relief le personnage de Ruy Blas ou celui de don Salluste? Comment ses apparitions sont-elles, selon vous, ressenties par le spectateur? — L'Éden est-il, dans les croyances modernes, plus loin de l'Enfer que l'Élysée ne l'était du Tartare dans les religions antiques? Quelle part faut-il faire ici à l'observation objective? à la systématisation? — Hugo ne fait-il pas renaître la vieille querelle des Anciens et des Modernes? Quels éléments nouveaux apporte-t-il au débat? Appréciez-en la portée.

et l'épopée. En effet, dans la poésie nouvelle, tandis que le sublime représentera l'âme telle qu'elle est, épurée par la morale chrétienne, lui jouera le rôle de la bête humaine. Le premier type, dégagé de tout alliage impur, aura en apanage tous les charmes, toutes les grâces, toutes les beautés; il faut qu'il puisse créer un jour Juliette, Desdémona, Ophélia[110]. Le second prendra tous les ridicules, toutes les infirmités, toutes les laideurs. Dans ce partage de l'humanité et de la création, c'est à lui que reviendront les passions, les vices, les crimes; c'est lui qui sera luxurieux, rampant, gourmand, avare, perfide, brouillon, hypocrite; c'est lui qui sera tour à tour Iago, Tartufe, Basile; Polonius, Harpagon, Bartholo; Falstaff, Scapin, Figaro[111]. Le beau n'a qu'un type; le laid en a mille. C'est que le beau, à parler humainement, n'est que la forme considérée dans son rapport le plus simple, dans sa symétrie la plus absolue, dans son harmonie la plus intime avec notre organisation. Aussi nous offre-t-il toujours un ensemble complet, mais restreint comme nous. Ce que nous appelons le laid, au contraire, est un détail d'un grand ensemble qui nous échappe, et qui s'harmonise, non pas avec l'homme, mais avec la création tout entière. Voilà pourquoi il nous présente sans cesse des aspects nouveaux, mais incomplets. **(39)**

C'est une étude curieuse que de suivre l'avènement et la marche du grotesque dans l'ère moderne. C'est d'abord une invasion, une irruption, un débordement; c'est un torrent qui

110. Trois héroïnes de Shakespeare *(Roméo et Juliette, Othello, Hamlet)* ; **111.** *Iago, Polonius* et *Falstaff* sont des personnages de Shakespeare *(Othello, Hamlet, les Joyeuses Commères de Windsor)* ; *Tartufe* (Tartuffe) et *Scapin*, des personnages de Molière; *Bazile, Bartholo* et *Figaro*, des personnages de Beaumarchais *(le Barbier de Séville, le Mariage de Figaro)*.

QUESTIONS

39. Le grotesque est-il aussi étroitement lié que le prétend l'auteur au théâtre comique? Dans quel genre de comédies le rencontre-t-on habituellement? De quel autre genre de comédies est-il généralement exclu? — Hugo a-t-il personnellement créé des personnages qui répondent à sa définition du grotesque? Dans son théâtre? dans son œuvre romanesque? — Les exemples proposés dans ce paragraphe (Iago, Tartuffe, etc.) vous paraissent-ils concluants? Justifiez votre opinion en vous appuyant sur un ou deux d'entre eux. — Quelle idée vous faites-vous du beau d'après ce passage? Cette conception vous semble-t-elle satisfaisante? Est-il légitime d'affirmer que *le beau n'a qu'un type* tandis que *le laid en a mille?*

a rompu sa digue. Il traverse en naissant la littérature latine qui se meurt, y colore Perse[112], Pétrone[113], Juvénal[114], et y laisse *l'Âne d'or* d'Apulée[115]. De là, il se répand dans l'imagination des peuples nouveaux qui refont l'Europe. Il abonde à flots dans les conteurs, dans les chroniqueurs, dans les romanciers. On le voit s'étendre du sud au septentrion. Il se joue dans les rêves des nations tudesques, et en même temps vivifie de son souffle ces admirables *romanceros* espagnols, véritable *Iliade* de la chevalerie[116]. C'est lui, par exemple, qui, dans le roman de *la Rose*, peint ainsi une cérémonie auguste, l'élection d'un roi :

> Un grand vilain lors ils élurent,
> Le plus ossu qu'entr'eux ils eurent[117]. **(40)**

Il imprime surtout son caractère à cette merveilleuse architecture qui, dans le moyen-âge, tient la place de tous les arts. Il attache son stigmate au front des cathédrales, encadre ses enfers et ses purgatoires sous l'ogive des portails, les fait flamboyer sur les vitraux, déroule ses monstres, ses démons autour des chapiteaux, le long des frises, au bord des toits. Il s'étale sous d'innombrables formes sur la façade de bois des maisons, sur la façade de pierre des châteaux, sur la façade de marbre des palais. Des arts il passe dans les mœurs; et tandis qu'il fait applaudir par le peuple les *graciosos*[118] de comédie[119], il donne aux rois les fous de cour. Plus tard, dans le siècle de l'étiquette,

112. *Perse :* poète latin (34-62), auteur de six *Satires* pleines d'élévation morale; **113.** *Pétrone :* écrivain latin du Ier s. apr. J.-C., surtout connu pour son *Satiricon*, curieux roman où se mêlent la prose et les vers; **114.** *Juvénal :* poète et moraliste latin (60-v. 140), célèbre par ses *Satires*, fortement réalistes; **115.** *Apulée :* écrivain latin (125-180), dont on connaît surtout le roman des *Métamorphoses* (ou *l'Ane d'or*). Comparez la conception d'Hugo à celle de Nodier *(Du fantastique en littérature) :* « A la chute du premier ordre de choses social dont nous avons conservé la mémoire, celui de l'esclavage et de la mythologie, la littérature fantastique surgit, comme le songe d'un moribond, au milieu des ruines du paganisme, dans les écrits des derniers classiques grecs et latins, de Lucien et d'Apulée »; **116.** Une traduction des *Romances historiques* a été publiée par Abel Hugo en 1823; **117.** Voir *le Roman de la Rose*, v. 10357-8. Hugo altère légèrement le texte : « Un grand vilain entr'eux eslurent, [Le plus ossu de quan qu'ils furent »; **118.** *Graciosos :* valets bouffons du théâtre espagnol, dont on peut trouver des représentants chez Calderon et Lope de Vega; **119.** Réminiscence possible de Schlegel *(Cours de littérature dramatique) :* « Ce valet sert à parodier la partie idéale de la pièce, et il contrefait, de la manière la plus spirituelle et la plus agréable, les sentiments exaltés de son maître. »

QUESTIONS

40. Ce paragraphe a-t-il valeur démonstrative? Analysez la démarche de l'auteur et précisez en quoi réside son habileté dans l'art de convaincre.

il nous montrera Scarron[120] sur le bord même de la couche de Louis XIV. En attendant, c'est lui qui meuble le blason, et qui dessine sur l'écu des chevaliers ces symboliques hiéroglyphes de la féodalité. Des mœurs, il pénètre dans les lois; mille coutumes bizarres attestent son passage dans les institutions du moyen-âge. De même qu'il avait fait bondir dans son tombereau Thespis barbouillé de lie, il danse avec la basoche[121] sur cette fameuse table de marbre qui servait tout à la fois de théâtre aux farces populaires et aux banquets royaux. Enfin, admis dans les arts, dans les mœurs, dans les lois, il entre jusque dans l'église. Nous le voyons ordonner, dans chaque ville de la catholicité, quelqu'une de ces cérémonies singulières, de ces processions étranges où la religion marche accompagnée de toutes les superstitions, le sublime environné de tous les grotesques. Pour le peindre d'un trait, telle est, à cette aurore des lettres, sa verve, sa vigueur, sa sève de création, qu'il jette du premier coup sur le seuil de la poésie moderne trois Homères bouffons[122] : Arioste[123], en Italie; Cervantes[124], en Espagne; Rabelais, en France. **(41)**

---

120. *Scarron :* introducteur du burlesque en France *(le Typhon, le Virgile travesti) ;* auteur de nombreuses pièces à succès, d'un célèbre ouvrage réaliste *(le Roman comique)* et de satires dont s'inspirera parfois Boileau (1610-1660); **121.** *Basoche :* corporation des clercs du palais, dotée d'importants privilèges par Philippe le Bel, en 1302. Les clercs de la basoche éveillèrent le goût du théâtre dans la France du Moyen Age, par les représentations qu'ils donnaient à l'occasion de leurs fêtes traditionnelles; **122.** « Cette expression frappante, *Homère bouffon,* est de M. Ch. Nodier, qui l'a créée pour Rabelais, et qui nous pardonnera de l'avoir étendue à Cervantès et à l'Arioste » *(note de Victor Hugo) ;* **123.** *Arioste :* poète italien (1474-1533), qui doit surtout son renom à un poème chevaleresque en 46 chants : *Roland furieux ;* **124.** *Cervantès :* auteur du célèbre roman de *Don Quichotte,* dans lequel deux personnages fortement contrastés (don Quichotte et Sancho Pança) représentent les pôles extrêmes de l'âme espagnole (1547-1616).

QUESTIONS

41. Les cathédrales gothiques répondent-elles aux exigences du grotesque tel que l'envisage Hugo? L'auteur de *Notre-Dame de Paris* parviendra-t-il à illustrer la conception qu'il nous propose ici? — Quels rapports les *fous de cour* entretiennent-ils avec le grotesque? La mode, qui s'en répand surtout au XVe siècle, est-elle caractéristique de la civilisation chrétienne? N'existait-il pas de bouffons chez les peuples orientaux combattus par les croisés? — Les traditions basochiennes ne sont-elles concevables que dans un contexte chrétien? Ne pourrait-on leur trouver aucune coutume équivalente dans les sociétés antiques? Les saturnales n'existaient-elles pas avant l'avènement du christianisme? Peut-on dire de la religion nouvelle qu'elle a influé sur leur déroulement? qu'elle a encouragé leur développement?

— L'épithète d'*Homères bouffons* convient-elle à l'Arioste, Cervantès et Rabelais? En quoi les ouvrages de ces trois auteurs sont-ils épiques?

Il serait surabondant de faire ressortir davantage cette influence du grotesque dans la troisième civilisation. Tout démontre, à l'époque dite *romantique*, son alliance intime et créatrice avec le beau. Il n'y a pas jusqu'aux plus naïves légendes populaires qui n'expliquent quelquefois avec un admirable instinct ce mystère de l'art moderne. L'antiquité n'aurait pas fait *la Belle et la Bête*[125]. **(42)**

Il est vrai de dire qu'à l'époque où nous venons de nous arrêter la prédominance du grotesque sur le sublime, dans les lettres, est vivement marquée. Mais c'est une fièvre de réaction, une ardeur de nouveauté qui passe; c'est un premier flot qui se retire peu à peu. Le type du beau reprendra bientôt son rôle et son droit, qui n'est pas d'exclure l'autre principe, mais de prévaloir sur lui. Il est temps que le grotesque se contente d'avoir un coin du tableau dans les fresques royales de Murillo[126], dans les pages sacrées de Véronèse[127]; d'être mêlé aux deux admirables *Jugements derniers* dont s'enorgueilliront les arts, à cette scène de ravissement et d'horreur dont Michel-Ange enrichira le Vatican, à ces effrayantes chutes d'hommes que Rubens précipitera le long des voûtes de la cathédrale d'Anvers. Le moment est venu où l'équilibre entre les deux principes va s'établir. Un homme, un poëte roi, *poeta soverano*, comme Dante le dit d'Homère[128], va tout fixer. Les deux génies rivaux unissent leur double flamme, et de cette flamme jaillit Shakespeare. **(43)**

---

125. *La Belle et la Bête :* conte de Mme Leprince de Beaumont, dans *le Magasin des enfants* (1757). Paragraphe ajouté en marge du manuscrit; **126.** *Murillo :* peintre espagnol (1618-1682), dont l'œuvre allie la piété au réalisme et qui s'est, en particulier, illustré dans la représentation des enfants des milieux populaires; **127.** *Véronèse :* peintre italien (1528-1588), chez lequel se mêlent le pittoresque et la richesse du coloris *(les Noces de Cana, l'Enlèvement d'Europe*, etc.); **128.** Voir *Enfer*, chant IV : « Regarde celui qui marche une épée à la main comme un seigneur, devant les trois autres, celui-là est Homère, le poète souverain. »

QUESTIONS

42. Est-il exact que *l'antiquité n'aurait pas fait « la Belle et la Bête »?* Ne trouve-t-on pas de thèmes approchants dans la mythologie et la littérature antiques?

43. Comment Hugo envisage-t-il les rapports du grotesque et du sublime? Comment entend-il répartir ces deux éléments dans l'œuvre littéraire? Quel rôle respectif leur réserve-t-il? — Ne répond-il pas par avance à certaines critiques que ne manqueraient pas de lui adresser les tenants du classicisme? Ce passage n'implique-t-il pas une légère critique de certains abus du romantisme naissant? Notre auteur ne tombera-t-il jamais lui-même dans quelques-uns de ces abus?

[LE DRAME.]

Nous voici parvenus à la sommité poétique des temps modernes. Shakespeare, c'est le Drame; et le drame, qui fond sous un même souffle le grotesque et le sublime, le terrible et le bouffon, la tragédie et la comédie, le drame est le caractère propre de la troisième époque de poésie, de la littérature actuelle.

Ainsi, pour résumer rapidement les faits que nous avons observés jusqu'ici, la poésie a trois âges, dont chacun correspond à une époque de la société : l'ode, l'épopée, le drame. Les temps primitifs sont lyriques, les temps antiques sont épiques, les temps modernes sont dramatiques. L'ode chante l'éternité, l'épopée solennise l'histoire, le drame peint la vie[129]. Le caractère de la première poésie est la naïveté, le caractère de la seconde est la simplicité, le caractère de la troisième, la vérité. Les rapsodes marquent la transition des poëtes lyriques aux poëtes épiques, comme les romanciers des poëtes épiques aux poëtes dramatiques. Les historiens naissent avec la seconde époque; les chroniqueurs et les critiques avec la troisième. Les personnages de l'ode sont des colosses : Adam, Caïn, Noé; ceux de l'épopée sont des géants : Achille, Atrée[130], Oreste; ceux du drame sont des hommes : Hamlet, Macbeth, Othello[131]. L'ode vit de l'idéal, l'épopée du grandiose, le drame du réel. Enfin, cette triple poésie découle de trois grandes sources : la Bible, Homère, Shakespeare. **(44)**

Telles sont donc, et nous nous bornons en cela à relever un résultat, les diverses physionomies de la pensée aux différentes

129. « Mais, dira-t-on, le drame peint aussi l'histoire des peuples. Oui, mais comme *vie*, non comme *histoire*. Il laisse à l'historien l'exacte série des faits généraux, l'ordre des dates, les grandes masses à remuer, les batailles, les conquêtes, les démembrements d'empires, tout l'extérieur de l'histoire. Il en prend l'intérieur. Ce que l'histoire oublie ou dédaigne, les détails de costumes, de mœurs, de physionomies, le dessous des événements, la vie, en un mot, lui appartient; et le drame peut être immense d'aspect et d'ensemble quand ces petites choses sont prises dans une grande main, *prensa manu magna*, mais il faut se garder de chercher de l'histoire pure dans le drame, fût-il *historique*. Il écrit des légendes et non des fastes. Il est chronique et non chronologique » *(note de Victor Hugo)*; **130.** *Atrée* : roi de Mycènes. Il tua les enfants de son frère Thyeste et les lui fit manger. Ses descendants, les Atrides, frappés de malédiction, s'entre-tuèrent : Agamemnon (qui, selon certaines traditions, aurait sacrifié sa fille Iphigénie) fut assassiné par sa femme Clytemnestre, laquelle tomba bientôt, elle-même, victime de son fils Oreste; **131.** Héros des trois pièces de Shakespeare qui portent leurs noms.

QUESTIONS

Question 44, v. p. 55.

ères de l'homme et de la société. Voilà ses trois visages, de jeunesse, de virilité et de vieillesse. Qu'on examine une littérature en particulier, ou toutes les littératures en masse, on arrivera toujours au même fait : les poëtes lyriques avant les poëtes épiques, les poëtes épiques avant les poëtes dramatiques. En France, Malherbe avant Chapelain[132], Chapelain avant Corneille[133]; dans l'ancienne Grèce, Orphée[134] avant Homère, Homère avant Eschyle; dans le livre primitif, la Genèse avant les Rois, les Rois avant Job[135]; ou, pour reprendre cette grande échelle de toutes les poésies que nous parcourions tout à l'heure, la Bible avant *l'Iliade*, *l'Iliade* avant Shakespeare. **(45)**

La société, en effet, commence par chanter ce qu'elle rêve, puis raconte ce qu'elle fait, et enfin se met à peindre ce qu'elle pense. C'est, disons-le en passant, pour cette dernière raison que le drame, unissant les qualités les plus opposées, peut être tout à la fois plein de profondeur et plein de relief, philosophique et pittoresque.

Il serait conséquent d'ajouter ici que tout dans la nature et dans la vie passe par ces trois phases, du lyrique, de l'épique

---

132. *Chapelain :* poète français (1595-1674), auteur d'un poème épique *(la Pucelle)*, dont se railla Boileau, et rédacteur des célèbres *Sentiments de l'Académie sur le Cid;* **133.** *Le Cid* est de 1636. *La Pucelle* ne fut publiée qu'en 1656 (12 premiers chants) et 1882 (12 derniers). Il est vrai que Chapelain en avait conçu et annoncé le projet dès 1625; **134.** *Orphée :* le plus célèbre musicien de l'Antiquité. Descendu aux Enfers pour y réclamer sa femme Eurydice qui venait de mourir, il aurait obtenu satisfaction en charmant de ses accords les divinités souterraines; **135.** Trois livres de l'Ancien Testament. Sur la valeur de cette classification, consulter Renan : *Origines du christianisme, les Evangiles.*

QUESTIONS

44. Dégagez les qualités principales de ce résumé. Quelle importance revêtent ici la variété et l'exactitude des termes employés? Qu'est-ce qui confère au style sa force et sa clarté? Quelle impression le caractère systématique de l'énoncé tend-il à produire sur l'esprit des lecteurs?

45. Qu'y a-t-il d'artificiel dans la chronologie proposée par Hugo? Chapelain vient-il vraiment *avant Corneille?* Les grandes pièces du tragédien n'ont-elles pas, au contraire, précédé, pour la plupart, l'épopée longtemps attendue de l'auteur des *Sentiments de l'Académie sur le Cid?* Les autres exemples sont-ils plus convaincants? — Est-il légitime de ramener l'histoire de la littérature universelle à l'influence de trois grandes œuvres? Ces œuvres sont-elles même parfaitement caractéristiques des périodes qu'elles sont censées représenter? Ne pourrait-on proposer un autre choix que celui qu'effectue Hugo? La Bible relève-t-elle essentiellement du domaine littéraire? Ne contient-elle pas des livres historiques dont l'existence risque de mettre en question la classification opérée?

et du dramatique, parce que tout naît, agit et meurt. S'il n'était pas ridicule de mêler les fantasques rapprochements de l'imagination aux déductions sévères du raisonnement, un poëte pourrait dire que le lever du soleil, par exemple, est un hymne, son midi une éclatante épopée, son coucher un sombre drame où luttent le jour et la nuit, la vie et la mort. Mais ce serait là de la poésie, de la folie peut-être; et *qu'est-ce que cela prouve*[136]*?* **(46)**

Tenons-nous-en aux faits rassemblés plus haut : complétons-les d'ailleurs par une observation importante. C'est que nous n'avons aucunement prétendu assigner aux trois époques de la poésie un domaine exclusif, mais seulement fixer leur caractère dominant. La Bible, ce divin monument lyrique, renferme, comme nous l'indiquions tout à l'heure, une épopée et un drame en germe, les Rois et Job[137]. On sent dans tous les poëmes homériques un reste de poésie lyrique et un commencement de poésie dramatique. L'ode et le drame se croisent dans l'épopée. Il y a tout dans tout; seulement il existe dans chaque chose un élément générateur auquel se subordonnent tous les autres, et qui impose à l'ensemble son caractère propre. **(47)**

Le drame est la poésie complète. L'ode et l'épopée ne le contiennent qu'en germe; il les contient l'une et l'autre en développement; il les résume et les enserre toutes deux. Certes, celui qui a dit : *les Français n'ont pas la tête épique*[138], a dit une chose juste et fine; si même il eût dit *les modernes*, le mot

---

136. Voir La Harpe, *Lycée*, XII, xv : « On a ri mille fois de ce géomètre qui disait de la tragédie de *Phèdre :* Qu'est-ce que cela prouve? »; on rencontre également une allusion à cette anecdote sous la plume de d'Alembert; **137.** Chateaubriand remarquait déjà (*Génie du christianisme*, 2e partie, liv. V, chap. II) qu'« il y a trois styles principaux dans l'Écriture »; **138.** Si l'on s'en rapporte à Voltaire *(Essai sur la poésie épique)*, M. de Malézieux, consulté sur sa *Henriade*, aurait répondu : « Vous entreprenez un ouvrage qui n'est pas fait pour notre nation : *les Français n'ont pas la tête épique.* »

QUESTIONS

46. La généralisation proposée résiste-t-elle à un examen sérieux? Sur quoi repose-t-elle essentiellement? Qu'apporte la comparaison à l'argumentation de l'auteur? Qu'en concluez-vous quant à la démarche suivie? — De quelles précautions oratoires Hugo use-t-il ici? Quel ton suppose la boutade finale? Ne peut-il être interprété de différentes façons?

47. Appréciez les nuances apportées par Hugo. En quoi précisent-elles sa théorie? La renforcent-elles ou l'affaiblissent-elles? La rendent-elles plus acceptable?

spirituel eût été un mot profond. Il est incontestable cependant qu'il y a surtout du génie épique dans cette prodigieuse *Athalie*, si haute et si simplement sublime que le siècle royal ne l'a pu comprendre. Il est certain encore que la série des drames-chroniques de Shakespeare présente un grand aspect d'épopée. Mais c'est surtout la poésie lyrique qui sied au drame; elle ne le gêne jamais, se plie à tous ses caprices, se joue sous toutes ses formes, tantôt sublime dans Ariel, tantôt grotesque dans Caliban[139]. Notre époque, dramatique avant tout, est par cela même éminemment lyrique. C'est qu'il y a plus d'un rapport entre le commencement et la fin; le coucher du soleil a quelques traits de son lever; le vieillard redevient enfant. Mais cette dernière enfance ne ressemble pas à la première; elle est aussi triste que l'autre était joyeuse. Il en est de même de la poésie lyrique. Éblouissante, rêveuse à l'aurore des peuples, elle reparaît sombre et pensive à leur déclin. La Bible s'ouvre riante avec la Genèse, et se ferme sur la menaçante Apocalypse[140]. L'ode moderne est toujours inspirée, mais n'est plus ignorante. Elle médite plus qu'elle ne contemple; sa rêverie est mélancolie. On voit, à ses enfantements, que cette muse s'est accouplée au drame[141]. **(48)**

Pour rendre sensibles par une image les idées que nous venons d'aventurer, nous comparerions la poésie lyrique primitive à un lac paisible qui reflète les nuages et les étoiles du ciel; l'épopée est le fleuve qui en découle et court, en réfléchissant ses rives, forêts, campagnes et cités, se jeter dans l'océan

---

139. Personnages de *la Tempête* de Shakespeare. *Ariel* est l'esprit de l'air, gracieux et léger; *Caliban*, un démon difforme et malfaisant; **140.** *Apocalypse :* dernier livre du Nouveau Testament. Chateaubriand observe déjà (*Génie du christianisme*, 2e partie, liv. V, ch. I) : « C'est un corps d'ouvrage bien singulier que celui qui commence par la Genèse et qui finit par l'Apocalypse »; **141.** On trouve une idée approchante dans les *Mémoires* de Dumas : « Il y a longtemps que j'ai dit qu'en matière de théâtre surtout, il me paraissait permis de violer l'histoire, pourvu qu'on lui fît un enfant. »

QUESTIONS

48. L'ode et l'épopée contiennent-elles des germes de drame? Le drame, en revanche, comprend-il pleinement ces deux genres? Appuyez votre argumentation sur les exemples que vous fournit le théâtre romantique. — Hugo introduira-t-il la poésie lyrique dans ses drames? Lesquels? Ne tentera-t-il pas de faire également monter l'épopée sur la scène? Réussira-t-il dans cette entreprise? Les réponses à ces questions vous permettent-elles d'accepter certaines affirmations de ce paragraphe? — En quoi le style du passage est-il plus d'un théoricien que d'un poète?

du drame. Enfin, comme le lac, le drame réfléchit le ciel; comme le fleuve, il réfléchit ses rives; mais seul il a des abîmes et des tempêtes. (**49**)

C'est donc au drame que tout vient aboutir dans la poésie moderne. *Le Paradis perdu* est un drame avant d'être une épopée. C'est, on le sait, sous la première de ces formes qu'il s'était présenté d'abord à l'imagination du poëte, et qu'il reste toujours imprimé dans la mémoire du lecteur, tant l'ancienne charpente dramatique est encore saillante sous l'édifice épique de Milton[142]! Lorsque Dante Alighieri a terminé son redoutable *Enfer*[143], qu'il en a refermé les portes, et qu'il ne lui reste plus qu'à nommer son œuvre, l'instinct de son génie lui fait voir que ce poëme multiforme est une émanation du drame, non de l'épopée; et sur le frontispice du gigantesque monument, il écrit de sa plume de bronze : *Divina Commedia*[144].

On voit donc que les deux seuls poëtes des temps modernes qui soient de la taille de Shakespeare se rallient à son unité. Ils concourent avec lui à empreindre de la teinte dramatique toute notre poésie; ils sont comme lui mêlés de grotesque et

---

142. Le fait est rapporté par Voltaire dans son *Essai sur la poésie épique.* Milton, ayant, dans sa jeunesse, assisté à Milan à une comédie d'Andreino, *Adam ou le Péché originel*, aurait composé un acte et demi d'une tragédie sur le même sujet. Sa pièce aurait débuté par le monologue de Satan que l'on trouve maintenant au chant IV du *Paradis perdu;* **143.** Outre un prologue, *la Divine Comédie* se compose de trois parties : *l'Enfer, le Purgatoire, le Paradis;* **144.** Rivarol propose une explication différente : « Le Dante n'a pas donné le nom de comédie aux trois grandes parties de son poème parce qu'il finit d'une manière heureuse [...] mais, parce qu'ayant honoré *l'Enéide* du nom d'*Alta tragedia*, il a voulu prendre un titre plus humble, qui convînt mieux au style qu'il emploie, si différent, en effet, de celui de son maître. »

QUESTIONS

49. Quelle est, d'après cette comparaison, la nature des liens qui unissent le drame, l'ode et l'épopée? La poésie lyrique conserve-t-elle ici la position et le rôle privilégiés qui lui étaient conférés ci-dessus?

50. Hugo ne se laisse-t-il pas entraîner par son désir de justifier sa théorie en lui donnant un caractère universel? De quelle manière sollicite-t-il les exemples qu'il propose au lecteur? Que reste-t-il, dans la version définitive du *Paradis perdu*, du canevas dramatique initialement conçu par Milton? En quoi *la Divine Comédie* relève-t-elle du genre théâtral? L'auteur fait-il autre chose que simplement jouer sur les divers sens du mot *comédie?* — Le théoricien ne procède-t-il pas par affirmation plus que par démonstration? Ne soumet-il pas les exemples à ses vues plutôt qu'il ne confronte ses conceptions à la réalité objective des faits? Montrez qu'il cherche à emporter l'adhésion et non à justifier une prise de position qui relève de l'intuition autant que de l'observation.

de sublime; et, loin de tirer à eux dans ce grand ensemble littéraire qui s'appuie sur Shakespeare, Dante et Milton sont en quelque sorte les deux arcs-boutants de l'édifice dont il est le pilier central, les contre-forts de la voûte dont il est la clef. **(50) (51)**

QUESTIONS

Question 50, v. p. 58.

51. SUR L'ENSEMBLE DU PASSAGE RELATIF À LA THÉORIE DES TROIS ÂGES. — Qu'y a-t-il d'arbitraire dans la thèse soutenue par Hugo? Est-il légitime de prétendre rendre compte de l'évolution de la littérature universelle en fonction de trois époques mal délimitées de l'histoire de l'humanité? L'évolution d'une littérature donnée est-elle toujours inévitablement et directement fonction des changements qui peuvent survenir dans la société où elle s'insère?

— L'analyse proposée par l'auteur repose-t-elle plus sur les données d'une analyse historique précise que sur celles d'un tempérament visionnaire? A quelles littératures sont empruntés les différents exemples proposés? Quelle place est-elle réservée aux littératures orientales? Leur étude ne serait-elle pas susceptible de remettre en question certaines des assertions fondamentales de la *Préface?* Est-il possible, pour chacune des périodes envisagées, de décider avec certitude du genre précis dont relève l'ensemble diversifié des œuvres produites? Le choix opéré par l'écrivain est-il incontestable? Les ouvrages qu'il juge caractéristiques sont-ils les plus typiques et les plus représentatifs des trois âges considérés?

— La démarche de l'auteur vous semble-t-elle exempte de tout reproche? N'est-elle pas fondée sur une intuition plutôt que sur une observation objective? L'imagination n'y occupe-t-elle pas une place au moins équivalente à celle de la réflexion? L'option initialement prise n'oriente-t-elle pas trop sensiblement l'argumentation subséquente? Comment se manifeste le parti pris de systématisation adopté par Hugo? Quelle conséquence a-t-il en ce qui concerne les exemples présentés? Sur quelle impression ces différentes constatations risquent-elles de laisser un lecteur averti?

— Existe-t-il de grandes constantes stylistiques dans cette première partie de la *Préface?* Dans quelles circonstances Hugo utilise-t-il le style oratoire? A quels procédés rhétoriques a-t-il alors, de préférence, recours? Sont-ils de nature complexe? Sous quelle impulsion peut-on supposer qu'ils sont employés? Quelle impression produisent-ils? Pouvez-vous établir le rôle que jouent les accumulations dans l'ensemble de ce passage? Quand les rencontre-t-on le plus fréquemment? Ont-elles la moindre valeur démonstrative? En quoi consiste leur efficacité?

— Dans quels contextes se rencontrent les affirmations catégoriques? A quelles conditions peuvent-elles emporter la conviction? Ne s'appuient-elles pas souvent sur d'autres procédés stylistiques? Lesquels? Ne pourrait-on, à partir de ces quelques données, établir un art de convaincre hugolien? En quoi se rapprocherait-il ou se différencierait-il de celui de Pascal?

[LA THÉORIE DU DRAME]

Qu'on nous permette de reprendre ici quelques idées déjà énoncées, mais sur lesquelles il faut insister. Nous y sommes arrivé, maintenant il faut que nous en repartions.

Du jour où le christianisme a dit à l'homme[145] : « Tu es double, tu es composé de deux êtres, l'un périssable, l'autre immortel, l'un charnel, l'autre éthéré, l'un enchaîné par les appétits, les besoins et les passions, l'autre emporté sur les ailes de l'enthousiasme et de la rêverie, celui-ci enfin toujours courbé vers la terre, sa mère, celui-là sans cesse élancé vers le ciel, sa patrie »; de ce jour le drame a été créé. Est-ce autre chose en effet que ce contraste de tous les jours, que cette lutte de tous les instants entre deux principes opposés qui sont toujours en présence dans la vie, et qui se disputent l'homme depuis le berceau jusqu'à la tombe[146]? **(52)**

La poésie née du christianisme, la poésie de notre temps est donc le drame; le caractère du drame est le réel; le réel résulte de la combinaison toute naturelle de deux types, le sublime et le grotesque, qui se croisent dans le drame, comme ils se croisent dans la vie et dans la création. Car la poésie vraie, la poésie complète, est dans l'harmonie des contraires. Puis, il est temps de le dire hautement, et c'est ici surtout que les exceptions confirmeraient la règle, tout ce qui est dans la nature est dans l'art. **(53)**

En se plaçant à ce point de vue pour juger nos petites règles conventionnelles, pour débrouiller tous ces labyrinthes scolastiques, pour résoudre tous ces problèmes mesquins que les critiques des deux derniers siècles ont laborieusement bâtis

---

145. Hugo s'inspire, dans ce passage, des idées de Chateaubriand (*Génie du christianisme*, 2e et 3e parties) et de Mme de Staël *(De la littérature)* ; **146.** Paragraphe ajouté en marge du manuscrit.

QUESTIONS

52. Quel style Hugo utilise-t-il ici? A quels caractères pouvez-vous l'identifier? — Comment l'auteur parvient-il à nous faire saisir la variété des contrastes rencontrés dans le drame? — Cette reprise de *quelques idées déjà énoncées* se justifie-t-elle? Dans quel but l'écrivain nous la propose-t-il? Quelle conclusion pouvons-nous en tirer relativement au procédé de composition de la *Préface?*

Question 53, v. p. 61.

autour de l'art, on est frappé de la promptitude avec laquelle la question du théâtre moderne se nettoie. Le drame n'a qu'à faire un pas pour briser tous ces fils d'araignée dont les milices de Lilliput[147] ont cru l'enchaîner dans son sommeil[148]. **(54)**

[LE MÉLANGE DES GENRES.]

Ainsi, que des pédants étourdis (l'un n'exclut pas l'autre) prétendent que le difforme, le laid, le grotesque, ne doit jamais être un objet d'imitation pour l'art, on leur répond que le grotesque, c'est la comédie, et qu'apparemment la comédie fait partie de l'art. Tartufe n'est pas beau, Pourceaugnac[149] n'est pas noble; Pourceaugnac et Tartufe sont d'admirables jets de l'art. **(55)**

Que si, chassés de ce retranchement dans leur seconde ligne de douanes, ils renouvellent leur prohibition du grotesque allié au sublime, de la comédie fondue dans la tragédie, on leur fait voir que, dans la poésie des peuples chrétiens, le premier de ces deux types représente la bête humaine, le second l'âme. Ces deux tiges de l'art, si l'on empêche leurs rameaux de se mêler, si on les sépare systématiquement, produiront pour tous fruits, d'une part des abstractions de vices, de ridicules; de l'autre, des abstractions de crime, d'héroïsme et de vertu. Les deux types, ainsi isolés et livrés à eux-mêmes, s'en iront chacun de

147. Variante : « une myriade de nains »; **148.** Allusion à un épisode célèbre des *Voyages de Gulliver* de Swift; **149.** Personnages de Molière.

QUESTIONS

53. Quel devrait être, d'après la définition donnée dans ce paragraphe, le premier souci de l'auteur dramatique? En quoi consistera la grande difficulté de l'art? Comment pourra-t-on réaliser l'harmonie dans laquelle réside *la poésie complète?* Hugo parviendra-t-il, dans ses drames, à répondre aux exigences qu'il énonce dans son manifeste? — En quoi la théorie des rapports de la nature et de l'art qui nous est proposée ici se distingue-t-elle de celle des classiques? A quel principe semble-t-elle devoir aboutir? Quelle espèce de réalisme en découlerait? L'auteur s'en tiendra-t-il à cette conception extrême?

54. L'optimisme d'Hugo se justifie-t-il? Les romantiques avaient-ils, en 1827, des raisons d'espérer une évolution rapide du rapport des forces dans le domaine théâtral?

55. Y a-t-il effectivement coïncidence entre le grotesque et la comédie? L'absence de beauté ou de noblesse suffit-elle à susciter le grotesque? donne-t-elle nécessairement matière à comédie?

leur côté, laissant entre eux le réel, l'un à sa droite, l'autre à sa gauche[150]. D'où il suit qu'après ces abstractions, il restera quelque chose à représenter, l'homme; après ces tragédies et ces comédies, quelque chose à faire, le drame. **(56)**

Dans le drame, tel qu'on peut, sinon l'exécuter, du moins le concevoir, tout s'enchaîne et se déduit ainsi que dans la réalité. Le corps y joue son rôle comme l'âme; et les hommes et les événements, mis en jeu par ce double agent, passent tour à tour bouffons et terribles, quelquefois terribles et bouffons tout ensemble. Ainsi le juge dira : *A la mort, et allons dîner*[151]*!* Ainsi le sénat romain délibérera sur le turbot de Domitien[152]. Ainsi Socrate, buvant la ciguë et conversant de l'âme immortelle et du dieu unique, s'interrompra pour recommander qu'on sacrifie un coq à Esculape[153]. Ainsi Elisabeth[154] jurera et parlera latin[155]. Ainsi Richelieu subira le capucin Joseph[156], et Louis XI son barbier, maître Olivier-le-Diable. Ainsi Cromwell dira : *J'ai le Parlement dans mon sac et le roi dans ma poche*[157]*;*

150. Hugo précise sa pensée dans une note inscrite en marge du manuscrit : « D'où vient que Molière est bien plus vrai que nos tragiques? Disons plus, d'où vient qu'il est presque toujours vrai? C'est que, tout emprisonné qu'il est par les préjugés de son temps en deçà du pathétique et du terrible, il n'en mêle pas moins à ses grotesques des scènes d'une grande sublimité, qui complètent l'humanité dans ses drames. C'est aussi que la comédie est bien plus près de la nature que la tragédie. [...] Molière enfin est plus vrai que nos tragiques, parce qu'il exploite le principe neuf, le principe moderne, le principe dramatique : le grotesque, la comédie; tandis qu'ils épuisent, eux, leur force et leur génie à rentrer dans cet ancien cercle épique qui est fermé, moule vieux et usé, dont la vérité propre à nos temps ne saurait d'ailleurs sortir, parce qu'il n'a pas la forme de la société moderne »; **151.** Allusion au *Socrate* de Voltaire où un juge ayant proposé de condamner tous les géomètres, l'un de ses collègues répond : « Oui, nous les pendrons à la première session. Allons dîner »; **152.** *Domitien :* empereur romain (81-96). Sur l'anecdote, voir Juvénal, *Satires*, IV. La phrase a été ajoutée en interligne sur le manuscrit; **153.** Fait rapporté par Platon (*Phédon*, 118); **154.** Élisabeth d'Angleterre; **155.** Phrase ajoutée en interligne; **156.** *Joseph :* Joseph du Tremblay, conseiller intime de Richelieu, surnommé l'« Éminence grise »; **157.** Villemain raconte, dans son *Histoire de Cromwell*, que le lord-protecteur se flattait d'avoir « le roi sous sa main et le Parlement dans sa poche ».

QUESTIONS

56. Le drame romantique sera-t-il effectivement *de la comédie fondue dans la tragédie?* Hugo réalisera-t-il cet idéal? Ses contemporains seront-ils plus heureux que lui dans ce domaine? — La condamnation de la tragédie et de la comédie ne vous semble-t-elle pas quelque peu sommaire? Corneille et Racine n'ont-ils présenté que *des abstractions de crime?* Molière *des abstractions de vices?* L'homme est-il vraiment resté en dehors de ces deux formes d'art? Les dramaturges romantiques réussiront-ils, dans leurs œuvres, à mieux capter le réel que leurs prédécesseurs classiques? Les personnages d'Hugo auront-ils plus de profondeur psychologique que ceux des trois grands classiques du théâtre français?

Phot. Giraudon.

« Hamlet et Horatio. »
Peinture d'Eugène Delacroix, Paris, musée du Louvre.

ou, de la main qui signe l'arrêt de mort de Charles Ier[158], barbouillera d'encre le visage d'un régicide qui le lui rendra en riant[159]. Ainsi César dans le char de triomphe aura peur de verser[160]. Car les hommes de génie, si grands qu'ils soient, ont toujours en eux leur bête qui parodie leur intelligence. C'est par là qu'ils touchent à l'humanité, c'est par là qu'ils sont dramatiques. « Du sublime au ridicule il n'y a qu'un pas », disait Napoléon[161], quand il fut convaincu d'être homme[162]; et cet éclair d'une âme de feu qui s'entr'ouvre illumine à la fois l'art et l'histoire, ce cri d'angoisse est le résumé du drame et de la vie. **(57)**

Chose frappante, tous ces contrastes se rencontrent dans les poëtes eux-mêmes, pris comme hommes. A force de méditer sur l'existence, d'en faire éclater la poignante ironie, de jeter à flots le sarcasme et la raillerie sur nos infirmités, ces hommes qui nous font tant rire deviennent profondément tristes. Ces Démocrites sont aussi des Héraclites[163]. Beaumarchais était morose, Molière était sombre, Shakespeare mélancolique[164]. **(58)**

C'est donc une des suprêmes beautés du drame que le grotesque. Il n'en est pas seulement une convenance, il en est souvent une nécessité. Quelquefois il arrive par masses homogènes,

---

158. *Charles Ier :* roi d'Angleterre (1625-1649); sa condamnation par le « Parlement croupion » et son exécution (janv. 1649) permirent le gouvernement personnel de Cromwell; **159.** Anecdote également rapportée par Villemain *(Histoire de Cromwell) ;* **160.** Renseignement de source inconnue, qui semble en contradiction avec plusieurs passages de Suétone; **161.** Le mot est rapporté par l'évêque de Pradt dans son *Histoire de l'ambassade dans le grand-duché de Varsovie, en* 1812 (1815); **162.** Réflexion vraisemblablement inspirée du *Mémorial de Sainte-Hélène* (publié en 1822) : « A présent que je suis hors de la question, disait-il, que me voilà simple particulier, que je réfléchis en philosophe sur ce temps où j'avais à faire les œuvres de la Providence, sans néanmoins cesser d'être homme »; **163.** Philosophes grecs. *Démocrite* (460-370 av. J.-C.) professait l'optimisme, *Héraclite* (540-480 av. J.-C.), le pessimisme; **164.** Paragraphe ajouté en marge.

QUESTIONS

57. A quoi se réduit ici la distinction entre le drame et les autres genres théâtraux? La complexité de la nature humaine ne s'est-elle jamais manifestée dans la comédie ou dans la tragédie? Les exemples cités par Hugo vous paraissent-ils propres à illustrer sa thèse? Certains ne risquent-ils pas, au contraire, de l'infirmer?

58. Discutez, au moyen d'exemples précis, l'opinion émise par Hugo sur les auteurs comiques. Ses jugements sur Beaumarchais, Molière et Shakespeare vous semblent-ils justifiés? Essayez de les nuancer en vous appuyant sur les pièces que vous connaissez de chacun de ces auteurs.

par caractères complets : Dandin, Prusias, Trissotin, Brid'oison, la nourrice de Juliette; quelquefois empreint de terreur, ainsi : Richard III, Bégears, Tartufe, Méphistophélès; quelquefois même voilé de grâce et d'élégance, comme Figaro, Osrick, Mercutio, don Juan[165]. Il s'infiltre partout, car de même que les plus vulgaires ont mainte fois leurs accès de sublime, les plus élevés payent fréquemment tribut au trivial et au ridicule. Aussi, souvent insaisissable, souvent imperceptible, est-il toujours présent sur la scène, même quand il se tait, même quand il se cache[166]. Grâce à lui, point d'impressions monotones. Tantôt il jette du rire, tantôt de l'horreur dans la tragédie. Il fera rencontrer l'apothicaire à Roméo, les trois sorcières à Macbeth, les fossoyeurs à Hamlet[167]. Parfois enfin il peut sans discordance, comme dans la scène du roi Lear et de son fou, mêler sa voix criarde aux plus sublimes, aux plus lugubres, aux plus rêveuses musiques de l'âme[168].

Voilà ce qu'a su faire entre tous, d'une manière qui lui est propre et qu'il serait aussi inutile qu'impossible d'imiter, Shakespeare, ce dieu du théâtre, en qui semblent réunis, comme dans une trinité, les trois grands génies caractéristiques de notre scène : Corneille, Molière, Beaumarchais. **(59)**

---

165. Voir : Racine, *les Plaideurs* (Dandin); Corneille, *Nicomède* (Prusias); Molière, *les Femmes savantes* (Trissotin); Beaumarchais, *le Mariage de Figaro* (Brid'oison); Shakespeare, *Roméo et Juliette, Richard III;* Beaumarchais, *la Mère coupable* (Bégears); Goethe, *Faust* (Méphistophélès); Shakespeare, *Hamlet* (Osrick), *Roméo et Juliette* (Mercutio); **166.** Les deux dernières phrases ont été ajoutées en marge; **167.** Décidé à se suicider après la mort supposée de Juliette, Roméo se procure du poison auprès d'un apothicaire ridicule. L'ambitieux Macbeth rencontre, sur une bruyère, trois sorcières qui lui promettent la royauté. Hamlet s'entretient avec deux fossoyeurs rencontrés dans un cimetière. La phrase a été ajoutée en interligne; **168.** Voir Shakespeare, *le Roi Lear*, I, X et III, II.

QUESTIONS

59. Ce passage apporte-t-il de nouveaux arguments à l'appui de la thèse de l'auteur? Quel effet produit cette nouvelle accumulation d'exemples? — Corneille, Molière et Beaumarchais sont-ils *les trois grands génies caractéristiques de notre scène?* Hugo n'écarte-t-il pas délibérément d'autres dramaturges importants? Lesquels? Le choix qu'il opère ainsi n'est-il pas symptomatique d'un certain goût? voire d'un certain parti pris? — Existe-t-il des éléments de comparaison entre Corneille, Molière, Beaumarchais et Shakespeare? Précisez-les. Le théâtre de ces trois auteurs est-il en quelque mesure shakespearien? Le drame romantique, lui-même, le sera-t-il?

[LA CRITIQUE DES RÈGLES.]

On voit combien l'arbitraire distinction des genres croule vite devant la raison et le goût. On ne ruinerait pas moins aisément la prétendue règle des deux unités. Nous disons deux et non *trois* unités[169], l'unité d'action ou d'ensemble, la seule vraie et fondée, étant depuis longtemps hors de cause.

Ces contemporains distingués, étrangers et nationaux[170], ont déjà attaqué, et par la pratique et par la théorie, cette loi fondamentale du code pseudo-aristotélique. Au reste, le combat ne devait pas être long. A la première secousse elle a craqué, tant était vermoulue cette solive de la vieille masure scolastique! **(60)**

Ce qu'il y a d'étrange, c'est que les routiniers prétendent appuyer leur règle des deux unités sur la vraisemblance, tandis que c'est précisément le réel qui la tue. Quoi de plus invraisemblable et de plus absurde en effet que ce vestibule, ce péristyle, cette antichambre, lieu banal où nos tragédies ont la complaisance de venir se dérouler, où arrivent, on ne sait comment, les conspirateurs pour déclamer contre le tyran, le tyran pour déclamer contre les conspirateurs, chacun à leur tour, comme s'ils s'étaient dit bucoliquement :

Alternis cantemus; amant alterna Camenae[171]. **(61)**

Où a-t-on vu vestibule ou péristyle de cette sorte? Quoi de plus contraire, nous ne dirons pas à la vérité, les scolastiques en font bon marché, mais à la vraisemblance? Il résulte de là que tout ce qui est trop caractéristique, trop intime, trop local,

169. Voir Boileau, *Art poétique*, III, 45-46 : « Qu'en un lieu, qu'en un jour, un seul fait accompli / Tienne jusqu'à la fin le théâtre rempli »; **170.** On peut penser à Schlegel et Manzoni parmi les étrangers, à Mme de Staël et à Stendhal pour les nationaux; **171.** « Chantons en couplets alternés; les Camènes [Muses] aiment l'alternance. » Virgile (*Bucoliques*, III, 59) a, en réalité, écrit : *Alternis dicetis*, etc.

QUESTIONS

60. L'unité d'action n'a-t-elle jamais été discutée? L'a-t-on toujours exactement respectée? — Pourquoi Hugo parle-t-il de *code pseudo-aristotélique?* Quel reproche implicite adresse-t-il aux classiques à travers cette expression? — La victoire dont se flatte ici l'auteur est-elle, en 1827, aussi assurée qu'il le laisse supposer? A quelle date se situera la véritable défaite du classicisme? Sera-t-elle, d'ailleurs, définitive?

61. A quelle pièce classique peut s'adresser le reproche formulé ici? L'auteur ne s'est-il pas lui-même expliqué sur ce point?

pour se passer dans l'antichambre ou dans le carrefour, c'est-à-dire tout le drame, se passe dans la coulisse. Nous ne voyons en quelque sorte sur le théâtre que les coudes de l'action; ses mains sont ailleurs. Au lieu de scènes, nous avons des récits[172]; au lieu de tableaux, des descriptions. De graves personnages placés, comme le chœur antique, entre le drame et nous, viennent nous raconter ce qui se fait dans le temple, dans le palais, dans la place publique, de façon que souventes fois nous sommes tentés de leur crier : « Vraiment! mais conduisez-nous donc là-bas! On s'y doit bien amuser, cela doit être beau à voir[173]! » A quoi ils répondraient sans doute : « Il serait possible que cela vous amusât ou vous intéressât, mais ce n'est point là la question; nous sommes les gardiens de la dignité de la Melpomène[174] française. » Voilà! **(62)**

Mais, dira-t-on, cette règle que vous répudiez est empruntée au théâtre grec. — En quoi le théâtre et le drame grecs ressemblent-ils à notre drame et à notre théâtre? D'ailleurs nous avons déjà fait voir que la prodigieuse étendue de la scène antique lui permettait d'embrasser une localité tout entière, de sorte que le poëte pouvait, selon les besoins de l'action, la transporter à son gré d'un point du théâtre à un autre, ce qui équivaut bien à peu près aux changements de décorations. Bizarre contradiction! le théâtre grec, tout asservi qu'il était à un but national et religieux, est bien autrement libre que le nôtre, dont le seul objet cependant est le plaisir, et, si l'on veut, l'enseignement du spectateur. C'est que l'un n'obéit qu'aux lois qui lui sont propres, tandis que l'autre s'applique

---

172. Voir Boileau, *Art poétique*, III, 51 : « Ce qu'on ne doit point voir, qu'un récit nous l'expose »; **173.** Hugo s'inspire peut-être de Schlegel *(Cours de littérature dramatique) :* « Plusieurs tragédies françaises font naître aux spectateurs l'idée confuse que de grands événements ont lieu peut-être quelque part, mais qu'ils sont mal placés pour en être les témoins »; **174.** *Melpomène :* muse de la Tragédie dans la mythologie grecque.

QUESTIONS

62. Est-il équitable de prétendre que *tout le drame* des tragédies classiques *se passe dans la coulisse?* Les récits du théâtre du XVIIe siècle ne sont-ils jamais dictés par d'autres impératifs que celui de respecter les règles? donnez des exemples et discutez-les. L'élément proprement spectaculaire vous paraît-il essentiel au théâtre? Quelle place y doit-il occuper? Par quelle influence contemporaine peut-on expliquer l'importance qui lui est accordée ici? Quels sont les dangers de la revendication exprimée dans ce passage? Hugo a-t-il toujours su les éviter dans ses drames postérieurs? Les autres romantiques ont-ils été plus heureux?

des conditions d'être parfaitement étrangères à son essence. L'un est artiste, l'autre est artificiel. **(63)**

On commence à comprendre de nos jours que la localité exacte est un des premiers éléments de la réalité. Les personnages parlants ou agissants ne sont pas les seuls qui gravent dans l'esprit du spectateur la fidèle empreinte des faits. Le lieu où telle catastrophe s'est passée en devient un témoin terrible et inséparable; et l'absence de cette sorte de personnage muet décompléterait dans le drame les plus grandes scènes de l'histoire. Le poëte oserait-il assassiner Rizzio[175] ailleurs que dans la chambre de Marie Stuart[176]? poignarder Henri IV ailleurs que dans cette rue de la Ferronnerie, tout obstruée de baquets et de voitures? brûler Jeanne d'Arc autre part que dans le Vieux-Marché[177]? dépêcher le duc de Guise autre part que dans ce château de Blois[178] où son ambition fait fermenter une assemblée populaire[179]? décapiter Charles Ier et Louis XVI[180] ailleurs que dans ces places sinistres d'où l'on peut voir White-Hall et les Tuileries, comme si leur échafaud servait de pendant à leur palais? **(64)**

L'unité de temps n'est pas plus solide que l'unité de lieu. L'action, encadrée de force dans les vingt-quatre heures, est

---

175. *Rizzio :* secrétaire italien de la reine d'Écosse Marie Stuart. Darnley, second mari de celle-ci, le fit assassiner par jalousie; **176.** L'adaptation par Lebrun de la *Marie Stuart* de Schiller venait de remporter un très vif succès; **177.** Il y a sans doute là une critique à l'égard de Schiller qui, dans sa *Pucelle d'Orléans* (trad. Barante, 1821), faisait mourir l'héroïne au combat. Mme de Staël *(De l'Allemagne)* avait déjà protesté contre ce dénouement; **178.** Allusion aux *Etats de Blois* de Louis Vitet, auxquels les *Débats* (23 juillet) et *le Globe* (sept.) avaient consacré d'importants articles; **179.** On peut rapprocher les idées de ce passage de celles de Stendhal *(Racine et Shakespeare) :* « Pour Henri III, il faut absolument, d'un côté : Paris, la duchesse de Montpensier, le cloître des Jacobins; de l'autre, Saint-Cloud, etc. »; **180.** Le *Théâtre en liberté* contient trois fragments d'un projet de pièce sur Louis XVI.

QUESTIONS

63. Hugo ne simplifie-t-il pas à l'extrême les arguments des classiques en faveur des règles? Celles-ci sont-elles toujours incompatibles avec *le plaisir et* [...] *l'enseignement du spectateur?* Ne peuvent-elles pas, au contraire, en être parfois la condition? Le théâtre classique est-il artificiel? Les règles vont-elles nécessairement à l'encontre des intérêts de l'art? Connaissez-vous des écrivains qui aient soutenu l'opinion opposée? Lesquels?

64. Les considérations de ce paragraphe sont-elles directement liées à la question de l'unité de lieu? Sont-elles en contradiction avec les habitudes classiques?

aussi ridicule qu'encadrée dans le vestibule. Toute action a sa durée propre comme son lieu particulier. Verser la même dose de temps à tous les événements! appliquer la même mesure sur tout! On rirait d'un cordonnier qui voudrait mettre le même soulier à tous les pieds. Croiser l'unité de temps à l'unité de lieu comme les barreaux d'une cage, et y faire pédantesquement entrer, de par Aristote, tous ces faits, tous ces peuples, toutes ces figures que la providence déroule à si grandes masses dans la réalité! c'est mutiler hommes et choses, c'est faire grimacer l'histoire. Disons mieux : tout cela mourra dans l'opération; et c'est ainsi que les mutilateurs dogmatiques arrivent à leur résultat ordinaire : ce qui était vivant dans la chronique est mort dans la tragédie. Voilà pourquoi, bien souvent, la cage des unités ne renferme qu'un squelette. **(65)**

Et puis si vingt-quatre heures peuvent être comprises dans deux, il sera logique que quatre heures puissent en contenir quarante-huit. L'unité de Shakespeare ne sera donc pas l'unité de Corneille. Pitié[181]!

Ce sont là pourtant les pauvres chicanes que depuis deux siècles la médiocrité, l'envie et la routine font au génie! C'est ainsi qu'on a borné l'essor de nos plus grands poëtes. C'est avec les ciseaux des unités qu'on leur a coupé l'aile. Et que

---

181. Corneille écrivait déjà à ce sujet (*Discours des trois unités*, 1660) : « La représentation dure deux heures, et ressemblerait parfaitement, si l'action qu'elle représente n'en demandait pas davantage pour sa réalité. Ainsi ne nous arrêtons point ni aux douze, ni aux vingt-quatre heures; mais resserrons l'action du poëme dans la moindre durée qu'il nous sera possible, afin que sa représentation ressemble mieux et soit plus parfaite. [...] Si nous ne pouvons la renfermer dans ces deux heures, prenons-en quatre, six, dix, mais ne passons pas de beaucoup les vingt-quatre, de peur de tomber dans le dérèglement, et de réduire tellement le portrait en petit, qu'il n'aye plus ses dimensions proportionnées, et ne soit qu'imperfection. »

QUESTIONS

65. L'argumentation de l'auteur repose-t-elle sur autre chose que sur des procédés rhétoriques? La seconde phrase justifie-t-elle l'affirmation de la première? La comparaison qui nous y est proposée est-elle acceptable? En quoi réside sa faiblesse? Montrez que les autres parallèles établis (le *cordonnier*, la *cage*) n'ont pas de bases plus solides. — Les dramaturges classiques ont-ils jamais prétendu que chaque action n'avait pas *sa durée propre?* Ont-ils cherché à *verser la même dose de temps à tous les événements?* Comment Hugo déplace-t-il le problème de l'unité de temps? Quels éléments de la question néglige-t-il d'envisager ici?

nous a-t-on donné en échange de ces plumes d'aigle retranchées à Corneille et à Racine? Campistron[182]. **(66)**

Nous concevons qu'on pourrait dire : — Il y a dans des changements trop fréquents de décoration quelque chose qui embrouille et fatigue le spectateur, et qui produit sur son attention l'effet de l'éblouissement; il peut aussi se faire que des translations multipliées d'un lieu à un autre lieu, d'un temps à un autre temps, exigent des contre-expositions qui le refroidissent; il faut craindre encore de laisser dans le milieu d'une action des lacunes qui empêchent les parties du drame d'adhérer étroitement entre elles, et qui en outre déconcertent le spectateur parce qu'il ne se rend pas compte de ce qu'il peut y avoir dans ces vides... — Mais ce sont là précisément les difficultés de l'art. Ce sont là de ces obstacles propres à tels ou tels sujets, et sur lesquels on ne saurait statuer une fois pour toutes. C'est au génie à les résoudre, non aux *poétiques* à les éluder. **(67)**

Il suffirait enfin, pour démontrer l'absurdité de la règle des deux unités, d'une dernière raison, prise dans les entrailles de l'art. C'est l'existence de la troisième unité, l'unité d'action, la seule admise de tous parce qu'elle résulte d'un fait : l'œil ni l'esprit humain ne sauraient saisir plus d'un ensemble à la fois. Celle-là est aussi nécessaire que les deux autres sont inutiles. C'est elle qui marque le point de vue du drame; or, par cela même, elle exclut les deux autres. Il ne peut pas plus y avoir

182. *Campistron :* auteur dramatique médiocre, continuateur de Racine, dont il reçut des conseils (1656-1723). Hugo écrivait déjà dans la préface des *Odes et Ballades* de 1826 : « Nous préférons une barbarie de Shakespeare à une ineptie de Campistron. » Il dira encore, en 1834, dans sa « Réponse à un acte d'accusation » (*Contemplations*, I, VII, 118) : « Sur le Racine mort, le Campistron pullule! »

QUESTIONS

66. Est-il certain que les règles aient *borné l'essor* des grands écrivains classiques? Si elles ont parfois embarrassé Corneille, ont-elles jamais gêné Racine? L'exemple de Campistron peut-il légitimement être retenu en faveur de la thèse d'Hugo?

67. Comment vous apparaît le souci d'objectivité qui semble se manifester ici? Quelle place occupe-t-il dans l'ensemble du passage? Ne peut-on lui trouver une valeur tactique bien déterminée? Quel effet produit le changement de ton dont il s'accompagne? — La poétique classique se proposait-elle d'éluder les difficultés? L'auteur ne vient-il pas, au contraire, de lui reprocher d'en créer? Comment expliquez-vous cette apparente contradiction?

trois unités dans le drame que trois horizons dans un tableau. Du reste, gardons-nous de confondre l'unité avec la simplicité d'action. L'unité d'ensemble ne répudie en aucune façon les actions secondaires sur lesquelles doit s'appuyer l'action principale. Il faut seulement que ces parties, savamment subordonnées au tout, gravitent sans cesse vers l'action centrale et se groupent autour d'elle aux différents étages ou plutôt sur les divers plans du drame[183]. L'unité d'ensemble est la loi de perspective du théâtre. **(68)**

Mais, s'écrieront les douaniers de la pensée, de grands génies les ont pourtant subies, ces règles que vous rejetez! — Eh oui, malheureusement! Qu'auraient-ils donc fait, ces admirables hommes, si l'on les eût laissés faire? Ils n'ont pas du moins accepté vos fers sans combat. Il faut voir comme Pierre Corneille, harcelé à son début pour sa merveille du *Cid*, se débat sous Mairet, Claveret, d'Aubignac et Scudéry[184]! comme il dénonce à la postérité les violences de ces hommes qui, dit-il, se font *tout blancs d'Aristote*[185]*!* Il faut voir comme on lui dit, et nous citons des textes du temps : « Ieune homme, il faut apprendre avant que d'enseigner, et à moins que d'être vn Scaliger[186] ou vn Heinsius[187], cela n'est pas supportable[188]! » Là-dessus Corneille se révolte et demande si c'est donc qu'on

183. On trouve une idée semblable chez Corneille *(op. cit.) :* « Ce mot d'unité d'action ne veut pas dire que la tragédie n'en doive faire voir qu'une sur le théâtre. Celle que le poëte choisit pour son sujet doit avoir un commencement, un milieu et une fin; et ces trois parties non seulement sont autant d'actions qui aboutissent à la principale, mais en outre chacune d'elles en peut contenir plusieurs avec la même subordination »; **184.** Poètes et critiques dramatiques du XVIIe siècle. *Mairet* (1604-1686), avec sa *Sophonisbe* (1634), donne à la scène française sa première tragédie régulière; *la Pratique du théâtre* (1657) de l'abbé d'*Aubignac* (1604-1676) est l'un des ouvrages indispensables à la compréhension du théâtre classique; *G. de Scudéry* (1601-1667) s'est posé en adversaire résolu de Corneille dans ces *Observations sur « le Cid »* (1637); **185.** Voir *Lettre apologétique du sieur Corneille, contenant sa réponse aux « Observations » faites par le sieur Scudéry sur « le Cid » ;* **186.** *Scaliger :* humaniste italien (1484-1558), qui jette, dans sa *Poétique* (1561), les premières bases de la doctrine classique; **187.** *Heinsius :* humaniste hollandais (1580-1655), connu pour ses éditions de textes anciens; **188.** Cette phrase n'est pas de Corneille.

QUESTIONS

68. La référence aux capacités de l'esprit humain ne pourrait-elle être retenue également en faveur des deux autres unités? Les classiques ne l'ont-ils pas précisément utilisée dans ce sens? L'argumentation d'Hugo est-elle plus fondée en logique que celle de ses adversaires? La pluralité des actions secondaires n'a-t-elle pas déjà été proposée et défendue à l'époque classique? Sera-t-elle un facteur particulier d'originalité dans les drames romantiques? Justifiez votre réponse au moyen d'exemples précis.

veut le faire descendre, « beaucoup au dessovbs de Claueret[189] »! Ici Scudéry s'indigne de tant d'orgueil et rappelle à « ce trois fois grand avthevr du *Cid*... les modestes paroles par où le Tasse, le plus grand homme de son siècle, a commencé l'apologie du plus beau de ses ouurages, contre la plus aigre et la plus iniuste Censure, qu'on fera peut-être iamais. M. Corneille, ajoute-t-il, tesmoigne bien en ses Responses qu'il est aussi loing de la modération que du mérite de cet excellent avthevr[190] ». Le *jeune homme* si *justement* et si *doucement censuré* ose résister; alors Scudéry revient à la charge; il appelle à son secours l'*Académie Eminente* : « Prononcez, ô MES IVGES, un arrest digne de vous, et qui face sçavoir à toute l'Europe que *le Cid* n'est point le chef-d'œuure du plus grand homme de Frâce, mais ouy bien la moins iudicieuse pièce de M. Corneille mesme. Vous le deuez, et pour vostre gloire en particulier, et pour celle de nostre nation en général, qui s'y trouue intéressée : veu que les estrangers qui pourroient voir ce beau chef-d'œuure, eux qui ont eu des Tassos et des Guarinis[191], croyroient que nos plus grands maistres ne sont que des apprentifs. » Il y a dans ce peu de lignes instructives toute la tactique éternelle de la routine envieuse contre le talent naissant, celle qui se suit encore de nos jours, et qui a attaché, par exemple, une si curieuse page aux jeunes essais de lord Byron[192]. Scudéry nous la donne en quintessence. Ainsi, les précédents ouvrages d'un homme de génie toujours préférés aux nouveaux, afin de prouver qu'il descend au lieu de monter, *Mélite* et *la Galerie du Palais*[193] mis au-dessus du *Cid;* puis les noms de ceux qui sont morts toujours jetés à la tête de ceux qui vivent : Corneille lapidé avec Tasso et Guarini (Guarini!), comme plus tard on lapidera Racine avec Corneille, Voltaire avec Racine, comme on lapide aujourd'hui tout ce qui s'élève avec Corneille, Racine et Voltaire. La tactique, comme on voit, est usée, mais il faut qu'elle soit bonne, puisqu'elle sert

---

189. « Il n'a pas tenu à vous que du premier lieu, où beaucoup d'honnêtes gens me placent, je ne sois descendu au-dessous de Claveret » (Corneille, *op. cit.*). Claveret, juriste et écrivain français du XVIIe siècle, ami puis ennemi de Corneille; **190.** Citation de Scudéry. La première partie (« Ce trois fois grand auteur du *Cid* ») en est empruntée à la *Lettre de M. de Scudéry à l'illustre Académie :* la seconde, à la *Preuve des passages allégués dans les Observations sur* « *le Cid* ». Hugo avait d'abord adopté l'orthographe courante; il a ensuite corrigé son texte pour rétablir celle du XVIIe siècle; **191.** *Guarini :* poète italien (1538-1612), auteur d'une tragi-comédie pastorale célèbre, *le Berger fidèle;* **192.** Allusion à un article de la *Revue d'Edimbourg*, déjà critiqué par Hugo dans *la Muse française;* **193.** Deux comédies de Corneille à ses débuts (1629 et 1633).

toujours. Cependant le pauvre diable de grand homme soufflait encore[194]. C'est ici qu'il faut admirer comme Scudéry, le capitan de cette tragi-comédie, poussé à bout, le rudoie et le malmène, comme il démasque sans pitié son artillerie classique, comme il « fait voir » à l'auteur du *Cid* « quels doiuent estre les épisodes, d'après Aristote, qui l'enseigne aux chapitres dixiesme et seiziesme de sa *Poétique* », comme il foudroie Corneille, de par ce même Aristote « au chapitre vnziesme de son *Art Poétique*, dans lequel on voit la condamnation du *Cid* »; de par Platon « liure dixiesme de sa *République* », de par Marcelin, « au liure vingt-septiesme; on le peut voir »; de par « les tragédies de Niobé et de Jephté »; de par « l'*Ajax* de Sophocle »; de par « l'exemple d'Euripide »; de par « Heinsius, au chapitre six, *Constitution de la Tragédie;* et Scaliger le fils dans ses poésies »; enfin, de par « les Canonistes et les Iurisconsultes, au titre des Nopces[195] ». Les premiers arguments s'adressaient à l'académie, le dernier allait au cardinal. Après les coups d'épingle, le coup de massue[196]. Il fallut un juge pour trancher la question. Chapelain décida. Corneille se vit donc condamné, le lion fut muselé, ou, pour dire comme alors, la *corneille* fut *déplumée*[197]. Voici maintenant le côté douloureux de ce drame grotesque[198] : c'est après avoir été ainsi rompu dès son premier jet, que ce génie, tout moderne, tout nourri du moyen-âge et de l'Espagne, forcé de mentir à lui-même et de se jeter dans l'antiquité, nous donna cette Rome castillane, sublime sans contredit, mais où, excepté peut-être dans le *Nicomède* si moqué du dernier siècle pour sa fière et naïve couleur, on ne retrouve ni la Rome véritable, ni le vrai Corneille. **(69)**

Racine éprouva les mêmes dégoûts, sans faire d'ailleurs la même résistance. Il n'avait, ni dans le génie ni dans le caractère, l'âpreté hautaine de Corneille. Il plia en silence, et abandonna aux dédains de son temps sa ravissante élégie d'*Esther*, sa magnifique épopée d'*Athalie*. Aussi on doit croire que, s'il

194. Passage ajouté en marge depuis *Le jeune homme si justement* [...]; **195.** Toutes ces citations sont empruntées à Scudéry *(op. cit.)*; **196.** Phrase ajoutée en marge; **197.** Les huit derniers mots sont ajoutés en marge. Allusion aux stances de Mairet qui prête à Guilhem de Castro les paroles suivantes : « Ingrat, rends-moi mon *Cid* jusques au dernier mot, / Après tu connaîtras, Corneille déplumée, / Que l'esprit le plus vain est souvent le plus sot, / Et qu'enfin tu me dois toute ta renommée »; **198.** Ajouté en marge.

QUESTIONS

Question 69, v. p. 74.

n'eût pas été paralysé comme il l'était par les préjugés de son siècle, s'il eût été moins souvent touché par la torpille classique, il n'eût point manqué de jeter Locuste[199] dans son drame entre Narcisse et Néron, et surtout n'eût pas relégué dans la coulisse cette admirable scène du banquet où l'élève de Sénèque[200] empoisonne Britannicus dans la coupe de la réconciliation. Mais peut-on exiger de l'oiseau qu'il vole sous le récipient pneumatique[201]? — Que de beautés pourtant nous coûtent les *gens de goût*, depuis Scudéry jusqu'à La Harpe! on composerait une bien belle œuvre de tout ce que leur souffle aride a séché dans son germe. Du reste, nos grands poëtes ont encore su faire jaillir leur génie à travers toutes ces gênes. C'est souvent en vain qu'on a voulu les murer dans les dogmes et dans les règles. Comme le géant hébreu, ils ont emporté avec eux sur la montagne les portes de leur prison[202]. **(70)**

---

199. *Locuste* : empoisonneuse romaine, qui débarrassa Agrippine de Claude, puis Néron de Britannicus; **200.** *Sénèque* : philosophe latin (4 av.-65 apr. J.-C.), qui fut, avec Burrus, précepteur de Néron; **201.** Phrase ajoutée en marge du manuscrit; **202.** Allusion à l'un des exploits de Samson (Juges, XVI, 1-3).

QUESTIONS

69. Le survol de la Querelle du *Cid* par Hugo vous paraît-il objectif? La sympathie que l'auteur de la *Préface* porte à Corneille vous semble-t-elle apparente? Comment se manifeste-t-elle? Quels sont, selon vous, les tours ou expressions qui dénotent l'ironie? Justifiez votre impression en les analysant dans le contexte. — N'est-ce pas simplifier les choses que ramener la querelle à un affrontement entre *la routine envieuse* et *le talent naissant?* Quels éléments entrent encore en ligne de compte? Corneille s'est-il, en cette occasion, montré au-dessus de tout reproche? *Le Cid*, en tant que tragi-comédie, se trouvait-il normalement soumis aux règles de la tragédie? Pour quelles raisons lui a-t-on fait grief de ne les avoir pas respectées? — Corneille connaissait-il le Moyen Age? en était-il, à proprement parler, *nourri?* Où a-t-il puisé l'essentiel de sa documentation sur le *Cid?* Dans Guilhem de Castro ou dans le Romancero? Quelle conclusion en tirez-vous? — Peut-on qualifier de *castillane* la Rome de l'auteur de *Nicomède?* de l'auteur d'*Horace?* Dans quelle mesure Corneille a-t-il renoncé à lui-même en abandonnant la source espagnole de son inspiration? Ne pourrait-on pas, en prenant le contre-pied de notre auteur, soutenir contradictoirement que les qualités de Rodrigue et de Chimène s'apparentent déjà à la vertu romaine? Établissez les limites de l'argumentation d'Hugo.

70. Racine a-t-il jamais manifesté la moindre opposition aux règles de l'école classique? L'une de ses préfaces ne nous inciterait-elle pas, au contraire, à penser qu'il s'en est fort bien accommodé? Laquelle? Est-il équitable de le juger sur *Esther* et *Athalie?* Pourquoi? Ces deux pièces peuvent-elles, d'ailleurs, être assimilées, comme nous invite à le faire Hugo, la première à une élégie, la seconde à une épopée? Justifiez votre réponse.

[Le problème de l'imitation.]

On répète néanmoins, et quelque temps encore sans doute on ira répétant : — Suivez les règles! Imitez les modèles! Ce sont les règles qui ont formé les modèles[203]! — Un moment! Il y a en ce cas deux espèces de modèles, ceux qui se sont faits d'après les règles, et, avant eux, ceux d'après lesquels on a fait les règles. Or dans laquelle de ces deux catégories le génie doit-il se chercher une place? Quoiqu'il soit toujours dur d'être en contact avec les pédants, ne vaut-il pas mille fois mieux leur donner des leçons qu'en recevoir d'eux? Et puis, imiter? Le reflet vaut-il la lumière? le satellite qui se traîne sans cesse dans le même cercle vaut-il l'astre central et générateur? Avec toute sa poésie, Virgile n'est que la lune d'Homère[204]. (71)

Et voyons : qui imiter? — Les anciens? Nous venons de prouver que leur théâtre n'a aucune coïncidence avec le nôtre. D'ailleurs, Voltaire, qui ne veut pas de Shakespeare[205], ne veut pas des Grecs non plus. Il va nous dire pourquoi : « Les Grecs ont hasardé des spectacles non moins révoltants pour nous. Hippolyte, brisé par sa chute, vient compter ses blessures et pousser des cris douloureux. Philoctète tombe dans ses accès de souffrance; un sang noir coule de sa plaie. Œdipe, couvert du sang qui dégoutte encore du reste de ses yeux qu'il vient d'arracher, se plaint des dieux et des hommes. On entend les cris de Clytemnestre que son propre fils égorge, et Électre crie sur le théâtre : « Frappez, ne l'épargnez pas, elle n'a pas épargné notre père. » Prométhée est attaché sur un rocher avec des clous qu'on lui enfonce dans l'estomac et dans les bras. Les Furies répondent à l'ombre sanglante de Clytemnestre par des hurlements sans aucune articulation... L'art était dans son enfance

---

203. Chapelain écrivait dans l'introduction aux douze derniers chants de sa *Pucelle :* « On devient poète par l'étude des règles »; **204.** A rapprocher de Nodier *(Mélanges) :* « On est porté à croire que si Homère n'avait point existé, il serait possible que Virgile n'eût point écrit. [...] Le poète primitif brille de tout l'éclat que réfléchit sa postérité littéraire. La lumière qui s'échappe de lui se reflète plus ou moins dans ses successeurs, mais c'est lui qui l'a faite »; **205.** Voir sa *Lettre à l'Académie sur Shakespeare.*

QUESTIONS

71. Y a-t-il, en bonne logique, antériorité des règles sur les modèles, ou des modèles sur les règles? Ne trouve-t-on pas ici une certaine rigueur dans le raisonnement? Notre auteur, pourtant, n'extrapole-t-il pas? Quelle faute en arrive-t-il une fois de plus à commettre?

du temps d'Eschyle comme à Londres du temps de Shakespeare[206]. » — Les modernes? Ah! imiter des imitations! Grâce[207]! **(72)**

— *Mà*[208], nous objectera-t-on encore, à la manière dont vous concevez l'art, vous paraissez n'attendre que de grands poëtes, toujours compter sur le génie? — L'art ne compte pas sur la médiocrité. Il ne lui prescrit rien, il ne la connaît point, elle n'existe point pour lui; l'art donne des ailes et non des béquilles. Hélas! d'Aubignac a suivi les règles. Campistron a imité les modèles. Que lui importe! Il ne bâtit point son palais pour les fourmis. Il les laisse faire leur fourmilière, sans savoir si elles viendront appuyer sur sa base cette parodie de son édifice. **(73)**

Les critiques de l'école scolastique placent leurs poëtes dans une singulière position. D'une part, ils leur crient sans cesse : Imitez les modèles! De l'autre, ils ont coutume de proclamer que « les modèles sont inimitables »! Or, si leurs ouvriers, à force de labeur, parviennent à faire passer dans ce défilé quelque pâle contre-épreuve, quelque calque décoloré des maîtres, ces ingrats, à l'examen du *refaccimiento*[209] nouveau, s'écrient tantôt : « Cela ne ressemble à rien! » tantôt : « Cela ressemble à tout! » Et, par une logique faite exprès, chacune de ces deux formules est une critique. **(74)**

---

206. Voir Voltaire, *Discours sur la tragédie à Mylord Bolingbroke;* **207.** Paragraphe ajouté en marge; **208.** *Mà :* mais (mot italien); **209.** *Refaccimiento :* Hugo a sans doute voulu dire *rifacimento*, refonte, restauration.

QUESTIONS

72. N'y a-t-il vraiment aucun point de contact entre notre théâtre et celui de la Grèce antique? Essayez de nuancer la déclaration catégorique d'Hugo à cet égard. — L'opinion de Voltaire sur Shakespeare ne demanderait-elle pas, parallèlement, à être précisée? Notre auteur n'a-t-il pas trop tendance à ne retenir de chaque problème que l'aspect le plus favorable à sa thèse? Est-il d'autres passages de la *Préface* qui trahissent ce même penchant? — D'autres écrivains ne se sont-ils pas, avant le nôtre, prononcés sur cette question de l'imitation des modèles? Quelles sont, en particulier, les opinions de La Fontaine et d'André Chénier à ce sujet? En quoi diffèrent-elles ou se rapprochent-elles de celles d'Hugo?

73. Quel trait de caractère du jeune poète se manifeste dans ce paragraphe? A quelle conception de la poésie aboutit nécessairement une telle prise de position?

74. Le jugement formulé ici ne comporte-t-il pas une part de vérité? Comment Hugo exploite-t-il l'avantage qui lui est ainsi procuré?

[LE PRINCIPE DE LA LIBERTÉ DANS L'ART.]

Disons-le donc hardiment. Le temps en est venu, et il serait étrange qu'à cette époque, la liberté, comme la lumière, pénétrât partout, excepté dans ce qu'il y a de plus nativement libre au monde, les choses de la pensée. Mettons le marteau dans les théories, les poétiques et les systèmes. Jetons bas ce vieux plâtrage qui masque la façade de l'art! Il n'y a ni règles, ni modèles; ou plutôt il n'y a d'autres règles que les lois générales de la nature qui planent sur l'art tout entier, et les lois spéciales qui, pour chaque composition, résultent des conditions d'existence propres à chaque sujet[210]. Les unes sont éternelles, intérieures, et restent; les autres variables, extérieures, et ne servent qu'une fois. Les premières sont la charpente qui soutient la maison; les secondes l'échafaudage qui sert à la bâtir et qu'on refait à chaque édifice. Celles-ci enfin sont l'ossement, celles-là le vêtement du drame. Du reste, ces règles-là ne s'écrivent pas dans les poétiques. Richelet[211] ne s'en doute pas. Le génie, qui devine plutôt qu'il n'apprend, extrait, pour chaque ouvrage, les premières de l'ordre général des choses, les secondes de l'ensemble isolé du sujet qu'il traite; non pas à la façon du chimiste qui allume son fourneau, souffle son feu, chauffe son creuset, analyse et détruit; mais à la manière de l'abeille, qui vole sur ses ailes d'or, se pose sur chaque fleur, et en tire son miel, sans que le calice perde rien de son éclat, la corolle rien de son parfum. **(75)**

---

210. Molière constatait déjà, dans le même ordre d'idées (*Critique de l'Ecole des femmes*, VI) que les règles « ne sont que quelques observations aisées, que le bon sens a faites » et que « le même bon sens qui a fait autrefois ces observations les fait aisément tous les jours sans le secours d'Horace et d'Aristote »; **211.** *Richelet* : lexicographe classique (1631-1698), auteur d'une *Versification française* (1671) et d'un *Dictionnaire français* (1680).

QUESTIONS

75. Caractérisez le ton de cette tirade. A quels traits reconnaissez-vous l'enthousiasme du jeune écrivain? Sa foi confiante en l'avenir de sa théorie? Son prosélytisme militant? Son ambition? — Quelle importance accordez-vous à cette déclaration du principe de la liberté dans l'art? Cet appel à l'indépendance n'est-il pas l'un des points essentiels de la *Préface?* Ne donne-t-il pas une certaine cohérence à ce manifeste en en dévoilant la raison d'être? Dans quelle mesure justifie-t-il un certain nombre des contradictions et des outrances que vous avez pu relever jusqu'à présent? — La comparaison du *génie* à une *abeille* vous semble-t-elle justifiée? La conception du poète qu'elle implique est-elle spécifiquement romantique? Ne peut-on la rapprocher de celle qui s'exprime dans un texte célèbre de l'époque classique?

Le poëte, insistons sur ce point, ne doit donc prendre conseil que de la nature, de la vérité, et de l'inspiration qui est aussi une vérité et une nature. *Quando he*, dit Lope de Vega[212],

Quando he de escrivir una comedia,
Encierro los preceptos con seis llaves[213]. (76)

Pour enfermer les préceptes, en effet, ce n'est pas trop de *six clefs*. Que le poëte se garde surtout de copier qui que ce soit, pas plus Shakespeare que Molière, pas plus Schiller que Corneille[214]. Si le vrai talent pouvait abdiquer à ce point sa propre nature, et laisser ainsi de côté son originalité personnelle, pour se transformer en autrui, il perdrait tout à jouer ce rôle de Sosie[215]. C'est le dieu qui se fait valet. Il faut puiser aux sources primitives. C'est la même sève, répandue dans le sol, qui produit tous les arbres de la forêt, si divers de port, de fruits, de feuillage. C'est la même nature qui féconde et nourrit les génies les plus différents. Le vrai poëte est un arbre qui peut être battu de tous les vents et abreuvé de toutes les rosées, qui porte ses ouvrages comme ses fruits, comme le *fablier* portait ses fables[216]. A quoi bon s'attacher à un maître? se greffer sur un modèle? Il vaut mieux encore être ronce ou chardon, nourri de la même terre que le cèdre et le palmier, que d'être le fungus ou le lichen de ces grands arbres. La ronce vit, le fungus végète. D'ailleurs, quelque grands qu'ils soient, ce cèdre et ce palmier, ce n'est pas avec le suc qu'on en tire qu'on peut devenir grand soi-même. Le parasite d'un géant sera tout au

---

212. Dans son *Nouvel Art de faire des comédies* (1609); **213.** « Lorsque je dois écrire une comédie, / J'enferme les préceptes avec six clefs »; **214.** C'était déjà l'opinion de Stendhal dans *Racine et Shakespeare*. Hugo condamne implicitement Ancelot et Lemercier, qui, en 1824, avaient fait représenter, le premier un *Fiesque* imité de Schiller, le second une *Jeanne Shore* « imitée de Shakespeare et de Rowe »; **215.** *Sosie* : personnage de l'*Amphitryon* de Plaute (puis de celui de Molière). Sa stupéfaction devant Mercure, qui a revêtu son apparence, l'amène à douter de sa propre identité; **216.** Mme de Bouillon disait que, de même que « l'arbre qui porte des pommes est appelé pommier », La Fontaine était un *fablier*, parce que « ses fables naissaient d'elles-mêmes dans son cerveau, et s'y trouvaient faites sans méditation de sa part, ainsi que les pommes sur le pommier ». Le mot, rapporté par d'Olivet *(Histoire de l'Académie)*, est repris par La Harpe *(Lycée)*, signalé par Nodier *(Examen critique des dictionnaires de la langue française)* et cité dans les *Débats* du 13 juillet 1927 (on l'y attribue d'ailleurs à Mme de La Sablière).

QUESTIONS

76. En quoi ces quelques lignes s'opposent-elles aux idées de Boileau? De quel adversaire du « législateur du Parnasse » Hugo se rapproche-t-il ainsi? Appuyez-vous sur des textes précis.

plus un nain. Le chêne, tout colosse qu'il est, ne peut produire et nourrir que le gui[217]. (77)

Qu'on ne s'y méprenne pas, si quelques-uns de nos poëtes ont pu être grands, même en imitant, c'est que, tout en se modelant sur la forme antique, ils ont souvent encore écouté la nature et leur génie, c'est qu'ils ont été eux-mêmes par un côté. Leurs rameaux se cramponnaient à l'arbre voisin, mais leur racine plongeait dans le sol de l'art. Ils étaient le lierre, et non le gui. Puis sont venus les imitateurs en sous-ordre, qui n'ayant ni racine en terre, ni génie dans l'âme, ont dû se borner à l'imitation. Comme dit Charles Nodier, *après l'école d'Athènes, l'école d'Alexandrie*[218]. Alors la médiocrité a fait déluge; alors ont pullulé ces poétiques, si gênantes pour le talent, si commodes pour elle. On a dit que tout était fait, on a défendu à Dieu de créer d'autres Molières, d'autres Corneilles. On a mis la mémoire à la place de l'imagination. La chose même a été réglée souverainement[219] : il y a des aphorismes pour cela. « *Imaginer*, dit La Harpe avec son assurance naïve, ce n'est au fond que *se ressouvenir*. » (78)

---

217. Hugo reprendra cette idée dans *William Shakespeare ;* **218.** Cette phrase a été ajoutée en interligne. Hugo évoque un passage des *Questions de littérature légale* de Nodier : « Les novateurs sont venus dans un temps malheureux, c'est-à-dire vers la décadence d'une très belle littérature, où il n'y avait plus de rangs bien éminents à prendre; de sorte qu'on doit leur savoir quelque gré d'avoir essayé de remplacer, par une innocente industrie, les ressources qui leur ont été ravies par leurs devanciers. [...] Ainsi, et par les mêmes procédés, s'anéantit le génie des muses grecques dans l'école d'Alexandrie. »; **219.** Ce début de phrase est ajouté en marge.

QUESTIONS

77. Quels sont, dans les grandes lignes, les reproches qu'Hugo adresse à la théorie de l'imitation des modèles? Dans quelle mesure vous semblent-ils justifiés? Le raisonnement suivi est-il rigoureux? La comparaison qui l'étaye correspond-elle, de façon satisfaisante, à l'idée exprimée? — N'existe-t-il pas, toutefois, une autre manière de concevoir l'imitation? Celle-ci ne peut-elle pas se révéler plus positive que celle qu'envisage l'auteur de la *Préface?* Trouvez des exemples qui vous permettent de soutenir votre opinion.

78. La littérature française post-classique justifie-t-elle l'analyse proposée ici? Hugo n'en arrive-t-il pas maintenant à nuancer, voire à rectifier, certaines affirmations trop catégoriques? Précisez la démarche de sa pensée. — Quels avantages le mode de raisonnement utilisé peut-il présenter en matière de polémique? Dans quelle mesure l'auteur bénéficiera-t-il, à la fois, de la force inhérente à la violence de ses premières affirmations et des qualités persuasives attachées à l'objectivité des secondes?

« La Barque de Dante. »

Peinture d'Eugène Delacroix, Paris, musée du Louvre.

Phot. Giraudon.

[LES RAPPORTS DE L'ART ET DE LA NATURE.]

La nature donc! La nature et la vérité. — Et ici, afin de montrer que, loin de démolir l'art, les idées nouvelles ne veulent que le reconstruire plus solide et mieux fondé, essayons d'indiquer quelle est la limite infranchissable qui, à notre avis, sépare la réalité selon l'art de la réalité selon la nature. Il y a étourderie à les confondre, comme le font quelques partisans peu avancés du *romantisme*. La vérité de l'art ne saurait jamais être, ainsi que l'ont dit plusieurs, la réalité *absolue*[220]. L'art ne peut donner la chose même. Supposons en effet un de ces promoteurs irréfléchis de la nature absolue, de la nature vue hors de l'art, à la représentation d'une pièce romantique, du *Cid*, par exemple. — Qu'est cela? dira-t-il au premier mot. Le Cid parle en vers! Il n'est pas *naturel* de parler en vers[221]. — Comment voulez-vous donc qu'il parle? — En prose. — Soit. — Un instant après : — Quoi, reprendra-t-il s'il est conséquent, le Cid parle français! — Eh bien? — La *nature* veut qu'il parle sa langue, il ne peut parler qu'espagnol. — Nous n'y comprendrons rien; mais soit encore. — Vous croyez que c'est tout? Non pas; avant la dixième phrase castillane, il doit se lever et demander si ce Cid qui parle est le véritable Cid, en chair et en os? De quel droit cet acteur, qui s'appelle Pierre ou Jacques, prend-il le nom de Cid? Cela est *faux*. — Il n'y a aucune raison pour qu'il n'exige pas ensuite qu'on substitue le soleil à cette rampe, des arbres *réels*, des maisons *réelles* à ces menteuses coulisses. Car, une fois dans cette voie, la logique nous tient au collet, on ne peut plus s'arrêter. **(79)**

---

220. On relève, dans le même ordre d'idées, chez Mme de Staël (*De l'Allemagne*, II, XV) : « Il faut s'entendre sur le mot d'illusion dans les arts : puisque nous consentons à croire que des acteurs, séparés de nous par quelques planches, sont des héros grecs morts il y a trois mille ans, il est bien certain que ce qu'on appelle l'illusion, ce n'est pas s'imaginer que ce qu'on voit existe véritablement : une tragédie ne peut nous paraître vraie que par l'émotion qu'elle nous cause »; **221.** Telle était déjà l'opinion de Chapelain, qui écrivait à l'un de ses amis : « L'absurdité [de parler en vers] m'en semble si grande que cela seul serait capable de me faire perdre l'envie de travailler jamais à la poésie scénique, quand j'y aurais une violente inclination » (29 nov. 1630).

QUESTIONS

79. La distinction opérée ici entre la *réalité selon l'art* et la *réalité selon la nature* ne limite-t-elle pas la déclaration précédente affirmant que *tout ce qui est dans la nature est dans l'art?* Pourquoi Hugo refuse-t-il la théorie du réalisme absolu? A qui s'oppose-t-il en adoptant cette position? — Comment l'auteur détruit-il la thèse adverse?
— Pourquoi utilise-t-il le procédé du dialogue?

On doit donc reconnaître, sous peine de l'absurde, que le domaine de l'art et celui de la nature sont parfaitement distincts. La nature et l'art sont deux choses, sans quoi l'une ou l'autre n'existerait pas. L'art, outre sa partie idéale, a une partie terrestre et positive. Quoi qu'il fasse, il est encadré entre la grammaire et la prosodie, entre Vaugelas et Richelet. Il a, pour ses créations les plus capricieuses, des formes, des moyens d'exécution, tout un matériel à remuer. Pour le génie, ce sont des instruments; pour la médiocrité, des outils. **(80)**

[LE DRAME, MIROIR DE CONCENTRATION.]

D'autres, ce nous semble, l'ont déjà dit : le drame est un miroir où se réfléchit la nature. Mais si ce miroir est un miroir ordinaire, une surface plane et unie, il ne renverra des objets qu'une image terne et sans relief, fidèle, mais décolorée; on sait ce que la couleur et la lumière perdent à la réflexion simple. Il faut donc que le drame soit un miroir de concentration qui, loin de les affaiblir, ramasse et condense les rayons colorants, qui fasse d'une lueur une lumière, d'une lumière une flamme. Alors seulement le drame est avoué de l'art. **(81)**

Le théâtre est un point d'optique. Tout ce qui existe dans le monde, dans l'histoire, dans la vie, dans l'homme, tout doit et peut s'y réfléchir, mais sous la baguette magique de l'art. L'art feuillette les siècles, feuillette la nature, interroge les chroniques, s'étudie à reproduire la réalité des faits, surtout celle des mœurs et des caractères, bien moins léguée au doute et à la contradiction que les faits[222], restaure ce que les annalistes ont tron-

222. « On est étonné de lire dans M. Goethe les lignes suivantes : « Il n'y a point, « à proprement parler, de personnages historiques en poésie; seulement, quand le « poëte veut représenter le monde qu'il a conçu, il fait à certains individus qu'il « rencontre dans l'histoire l'honneur de leur emprunter leurs noms pour les appli- « quer aux êtres de sa création. *Ueber Kunst und Alterthum (Sur l'art et l'antiquité).* » On sent où mènerait cette doctrine, prise au sérieux : droit au faux et au fantastique. Par bonheur, l'illustre poëte, à qui elle a sans doute un jour semblé vraie par un côté puisqu'elle lui est échappée, ne la pratiquerait certainement pas. Il ne composerait pas à coup sûr un Mahomet comme un Werther, un Napoléon comme un Faust » *(note de Victor Hugo).*

QUESTIONS

80. Quels sont, d'après ce paragraphe, les rapports de l'art et de la convention? En quoi, jusqu'à présent, la théorie d'Hugo se distingue-t-elle de celle des classiques?

— Quelle est, selon le jeune champion du romantisme, l'importance de la technique dans le domaine littéraire?

Question 81, v. p. 83.

qué, harmonise ce qu'ils ont dépouillé, devine leurs omissions et les répare, comble leurs lacunes par des imaginations qui aient la couleur du temps, groupe ce qu'ils ont laissé épars, rétablit le jeu des fils de la providence sous les marionnettes humaines, revêt le tout d'une forme poétique et naturelle à la fois, et lui donne cette vie de vérité et de saillie qui enfante l'illusion, ce prestige de réalité qui passionne le spectateur, et le poëte le premier, car le poëte est de bonne foi. Ainsi le but de l'art est presque divin : ressusciter, s'il fait de l'histoire[223]; créer, s'il fait de la poésie. **(82)**

C'est une grande et belle chose que de voir se déployer avec cette largeur un drame où l'art développe puissamment la nature; un drame où l'action marche à la conclusion d'une allure ferme et facile, sans diffusion et sans étranglement; un drame enfin où le poëte remplisse pleinement le but multiple de l'art, qui est d'ouvrir au spectateur un double horizon, d'illuminer à la fois l'intérieur et l'extérieur des hommes; l'extérieur, par leurs discours et leurs actions; l'intérieur, par les *a parte* et les monologues; de croiser, en un mot, dans le même tableau, le drame de la vie et le drame de la conscience. **(83)**

---

223. Michelet écrira, dans sa préface de 1869, que l'histoire est une « résurrection de la vie intégrale ».

QUESTIONS

81. Quelle différence capitale existe-t-il entre un miroir plan et un miroir de concentration? A quoi correspond-elle dans le domaine symbolique où nous transporte Hugo? Analysez de façon très précise les éléments de cette comparaison essentielle à la compréhension de la suite du passage.

82. Quel sens donnez-vous au mot *théâtre* dans la phrase : *Le théâtre est un point d'optique?* Comment rattachez-vous cette image à celle du « miroir de concentration »? Que veut dire exactement Hugo? Ses comparaisons vous semblent-elles rendre un compte exact de sa pensée? — La *baguette magique de l'art* n'a-t-elle pas pour effet de transformer le réel? Que doit apporter le théâtre à la vérité, d'après la théorie exposée ici? — La façon dont Hugo envisage la transposition de l'histoire sur la scène ne vous semble-t-elle pas dangereuse? Quels inconvénients risque-t-elle de comporter? — Certains éléments de ce passage ne rappellent-ils pas les théories historiques de Bossuet? D'autres ne laissent-ils pas déjà percer la conception romantique de l'histoire? Les deux points de vue sont-ils conciliables? Vous paraissent-ils pouvoir se compléter?

83. En quoi les caractéristiques exposées ici sont-elles spécifiques du drame? Certaines ne s'appliqueraient-elles pas aussi bien à la tragédie? — Comment se manifeste l'enthousiasme d'Hugo à l'évocation de la mise en pratique de sa théorie? Quel est le caractère essentiel de cette longue phrase?

[LA COULEUR LOCALE.]

On conçoit que, pour une œuvre de ce genre, si le poëte doit choisir dans les choses (et il le doit), ce n'est pas le beau, mais le *caractéristique*[224]. Non qu'il convienne de *faire*, comme on dit aujourd'hui, *de la couleur locale*[225], c'est-à-dire d'ajouter après coup quelques touches criardes çà et là sur un ensemble du reste parfaitement faux et conventionnel. Ce n'est point à la surface du drame que doit être la couleur locale, mais au fond, dans le cœur même de l'œuvre, d'où elle se répand au dehors, d'elle-même, naturellement, également, et, pour ainsi parler, dans tous les coins du drame, comme la sève qui monte de la racine à la dernière feuille de l'arbre. Le drame doit être radicalement imprégné de cette couleur des temps; elle doit en quelque sorte y être dans l'air, de façon qu'on ne s'aperçoive qu'en y entrant et qu'en en sortant qu'on a changé de siècle et d'atmosphère. Il faut quelque étude, quelque labeur pour en venir là; tant mieux. Il est bon que les avenues de l'art soient obstruées de ces ronces devant lesquelles tout recule, excepté les volontés fortes. C'est d'ailleurs cette étude, soutenue d'une ardente inspiration, qui garantira le drame d'un vice qui le tue, le *commun*[226]. Le commun est le défaut des poëtes à courte vue et à courte haleine. Il faut qu'à cette optique de la scène, toute figure soit ramenée à son trait le plus saillant, le plus individuel, le plus précis. Le vulgaire et le trivial même doit avoir un accent. Rien ne doit être abandonné. Comme Dieu, le vrai poëte est présent partout à la fois dans son œuvre. Le génie ressemble au balancier qui imprime l'effigie royale aux pièces de cuivre comme aux écus d'or. **(84)**

---

224. Comparez cette opinion à celle de Chateaubriand *(Lettre à Fontanes)* : « Les poètes [...], toujours cachant et choisissant, retranchant ou ajoutant, [...] se trouvèrent peu à peu dans des formes qui n'étaient plus naturelles, mais qui étaient plus belles que celles de la nature; et les artistes appelèrent ces formes *le beau idéal*. On peut donc définir le beau idéal *l'art de choisir et de cacher* »; **225.** Empruntée au vocabulaire de la peinture, l'expression *couleur locale* prend un sens littéraire à l'époque romantique. B. Constant l'utilise, en 1809, dans ses *Réflexions sur la tragédie de* « *Wallstein* » et Berchet, dans un article du *Conciliatore* de 1818, la définit comme « une modification d'images, de pensées, de sentiments, de façons de dire exclusivement propres à tel état de la nature humaine, et à tel moment de la civilisation qu'il plaît au poète de reproduire »; **226.** Deschamps s'associera à cette condamnation dans la préface des *Etudes françaises et étrangères* (1828) : « C'est contre le *commun* que toutes les colères de la saine critique doivent être dirigées. »

QUESTIONS

Question 84, v. p. 85.

[LE VERS DRAMATIQUE.]

Nous n'hésitons pas, et ceci prouverait encore aux hommes de bonne foi combien peu nous cherchons à déformer l'art, nous n'hésitons point à considérer les vers comme un des moyens les plus propres à préserver le drame du fléau que nous venons de signaler, comme une des digues les plus puissantes contre l'irruption du *commun*, qui, ainsi que la démocratie, coule toujours à pleins bords[227] dans les esprits. Et ici, que la jeune littérature, déjà riche de tant d'hommes et de tant d'ouvrages, nous permette de lui indiquer une erreur où il nous semble qu'elle est tombée, erreur trop justifiée d'ailleurs par les incroyables aberrations de la vieille école. Le nouveau siècle est dans cet âge de croissance où l'on peut aisément se redresser. **(85)**

Il s'est formé, dans les derniers temps, comme une pénultième[228] ramification du vieux tronc classique, ou mieux comme une de ces excroissances, un de ces polypes que développe la décrépitude et qui sont bien plus un signe de décomposition qu'une preuve de vie, il s'est formé une singulière école de poésie dramatique. Cette école nous semble avoir eu pour maître et pour souche le poëte qui marque la transition du dix-huitième siècle au dix-neuvième, l'homme de la description et de la périphrase, ce Delille[229] qui, dit-on, vers sa fin, se

227. L'expression est empruntée à Royer-Collard : « A mon tour, [...] je conviens que la démocratie coule à pleins bords dans la France telle que les siècles et les événements l'ont faite » (*Discours sur la presse*, du 22 janvier 1822); **228.** *Pénultième :* avant-dernier; **229.** *Delille :* poète français (1738-1813), auteur de poèmes descriptifs (*l'Imagination, les Trois Règnes de la nature*, etc.) et de traductions (Virgile, Milton). Très honoré de ses contemporains, il n'est plus aujourd'hui considéré que comme un versificateur adroit.

QUESTIONS

84. En quoi consiste le *caractéristique?* De quelle notion classique peut-on le rapprocher? Quels sont ses rapports avec le « général »? Les principes d'Hugo sont-ils essentiellement différents de ceux de Boileau? Qu'est-ce qui, en dernier ressort, distingue les deux écrivains? — Comment définiriez-vous la couleur locale en fonction des données qui vous sont fournies ici? Quel rôle doit-elle jouer dans le drame? L'auteur d'*Hernani* et de *Ruy Blas* a-t-il toujours su l'utiliser avec discernement? Quelle conception Hugo se fait-il de la poésie? du poète? Comment vous apparaît-il à la fin de ce paragraphe? Quels détails manifestent sa confiance en lui? laissent deviner ses ambitions? trahissent son orgueil juvénile?

85. Quelle tendance du romantisme contemporain Hugo condamne-t-il ici? Quelle précaution prend-il pour ménager la susceptibilité de ses adversaires? Le ton n'est-il pourtant pas déjà celui d'un chef d'école?

vantait, à la manière des dénombrements d'Homère, d'avoir *fait* douze chameaux, quatre chiens, trois chevaux, y compris celui de Job[230], six tigres, deux chats, un jeu d'échecs, un trictrac, un damier, un billard, plusieurs hivers, beaucoup d'étés, force printemps, cinquante couchers de soleil, et tant d'aurores qu'il se perdait à les compter. **(86)**

Or Delille a passé dans la tragédie. Il est le père (lui, et non Racine, grand Dieu!) d'une prétendue école d'élégance et de bon goût qui a flori récemment. La tragédie n'est pas pour cette école ce qu'elle est pour le bonhomme Gilles Shakespeare, par exemple, une source d'émotions de toute nature; mais un cadre commode à la solution d'une foule de petits problèmes descriptifs qu'elle se propose chemin faisant. Cette muse, loin de repousser, comme la véritable école classique française, les trivialités et les bassesses de la vie, les recherche au contraire et les ramasse avidement. Le grotesque, évité comme mauvaise compagnie par la tragédie de Louis XIV, ne peut passer tranquille devant celle-ci. *Il faut qu'il soit décrit*[231]*!* c'est-à-dire *anobli*. Une scène de corps de garde, une révolte de populace, le marché aux poissons, le bagne, le cabaret, la *poule au pot* de Henri IV, sont une bonne fortune pour elle[232]. Elle s'en saisit, elle débarbouille cette canaille, et coud à ses vilenies son clinquant et ses paillettes; *purpureus assuitur pannus*[233]. Son but paraît être de délivrer des lettres de noblesse à toute cette

---

230. *Job :* personnage biblique que Dieu, pour l'éprouver, fit passer d'une grande richesse au plus entier dénuement. On lui prête la formule : « Dieu me l'a donné, Dieu me l'a ôté, que le nom du Seigneur soit béni! » **231.** On peut rapprocher ce texte des vers de M.-J. Chénier *(Essai sur les principes des arts) :* « Un Scudéry moderne, en sa verve indiscrète, / Décrit tout sans pinceaux, sans couleurs, sans palette : / Un âne, sous les yeux de ce rimeur proscrit, / Ne peut passer tranquille, et sans être décrit »; **232.** Stendhal écrit (*Racine et Shakespeare*, chap. III) : « Ce qu'il y a d'antiromantique, c'est M. Legouvé, dans sa tragédie d'*Henri IV*, ne pouvant pas reproduire le plus beau mot de ce roi patriote : « Je voudrais que le plus « pauvre paysan de mon royaume pût du moins avoir la poule au pot le dimanche. » La tragédie *racinienne* dit bien plus noblement : « Je veux enfin qu'au jour marqué pour le repos, / L'hôte laborieux des modestes hameaux / Sur sa table moins humble ait, par ma bienfaisance, / Quelques-uns de ces mets réservés à l'aisance »; **233.** Souvenir de l'*Art poétique* d'Horace, 15-16. Littéralement : « un lambeau de pourpre est cousu ».

QUESTIONS

86. Au moyen de quel procédé Hugo parvient-il à porter le débat sur un plan général? En quoi réside l'habileté de la comparaison employée? Vous paraît-elle adaptée à la situation? — Dans quelle mesure Delille a-t-il joué le rôle qui lui est prêté ici? Quelle influence a-t-il eue sur les romantiques?

roture du drame; et chacune de ces lettres du grand scel[234] est une tirade[235]. **(87)**

Cette muse, on le conçoit, est d'une bégueulerie rare[236]. Accoutumée qu'elle est aux caresses de la périphrase, le mot propre, qui la rudoierait quelquefois, lui fait horreur. Il n'est point de sa dignité de parler naturellement. Elle *souligne* le vieux Corneille pour ses façons de dire crûment :

> ... *Un tas d'hommes perdus de dettes* et de crimes[237]!
> ... Chimène, *qui l'eût cru?* Rodrigue, *qui l'eût dit*[238]?
> ... Quand leur Flaminius *marchandait* Annibal[239],
> ... Ah! ne me *brouillez* pas avec la république[240]! Etc., etc.

Elle a encore sur le cœur son : *Tout beau*[241], *Monsieur!* Et il a fallu bien des *Seigneur!* et bien des *Madame!* pour faire pardonner à notre admirable Racine ses *chiens* si monosyllabiques[242], et ce *Claude* si brutalement *mis dans le lit* d'Agrippine[243]. **(88)**

Cette *Melpomène*, comme elle s'appelle, frémirait de toucher une chronique. Elle laisse au costumier le soin de savoir

---

234. *Scel :* forme archaïque de *sceau;* **235.** Stendhal déclare à ce sujet *(Racine et Shakespeare) :* « La *tirade* est peut-être ce qu'il y a de *plus antiromantique* dans le système de Racine; et s'il fallait absolument choisir, j'aimerais encore mieux voir conserver les deux unités que la *tirade* »*;* **236.** Voir encore Stendhal *(op. cit.) :* « Dans la vie commune, le *bégueulisme* est l'art de s'offenser pour le compte des vertus qu'on n'a pas; en littérature, c'est l'art de jouir avec des goûts qu'on ne sent point »; **237.** *Cinna,* V, I, 1493; **238.** *Le Cid,* III, IV, 947. Corneille a écrit plus exactement : « Rodrigue, qui l'eût cru? — Chimène, qui l'eût dit? » **239.** *Nicomède,* I, I, 22. Exactement : « Dont leur Flaminius, etc. »; **240.** *Nicomède,* II, III, 564. Exactement : « Ah! ne me brouillez point avec la république »; **241.** Voir *Horace,* III, VI, 1009 : « Ô mes frères! — Tout beau, ne les pleurez pas tous »; **242.** Voir *Athalie,* II, V, 506 : « Que des chiens dévorants se disputaient entre eux »; **243.** Voir *Britannicus,* IV, II, 1137 : « Mit Claude dans mon lit, et Rome à mes genoux. »

QUESTIONS

87. Dans quel but Hugo rend-il ici justice à l'école classique? Quelle est chez lui la part de la sincérité? de l'adresse polémique? Ne retrouve-t-on pas une attitude semblable en d'autres endroits de la *Préface?* dans d'autres écrits romantiques? — En quoi consistent exactement les reproches adressés à la tragédie contemporaine? L'auteur est-il partisan de porter à la scène les *trivialités* et les *bassesses* à l'état brut? Quelle élaboration veut-il faire subir au grotesque? — Les dramaturges romantiques rejetteront-ils systématiquement l'usage de la tirade? Pourquoi est-il condamné ici?

88. En quoi les exemples cités pouvaient-ils choquer le goût classique? Pourquoi Hugo en fait-il état ici? Que reprochaient les romantiques à la périphrase? Par quoi voulaient-ils la remplacer?

à quelle époque se passent les drames qu'elle fait. L'histoire à ses yeux est de mauvais ton et de mauvais goût. Comment, par exemple, tolérer des rois et des reines qui jurent? Il faut les élever de leur dignité royale à la dignité tragique. C'est dans une promotion de ce genre qu'elle a anobli Henri IV. C'est ainsi que le roi du peuple, nettoyé par M. Legouvé[244], a vu son *ventre-saint-gris* chassé honteusement de sa bouche par deux sentences, et qu'il a été réduit, comme la jeune fille du fabliau, à ne plus laisser tomber de cette bouche royale que des perles, des rubis et des saphirs[245]; le tout faux, à la vérité. **(89)**

En somme, rien n'est si *commun* que cette élégance et cette noblesse de convention. Rien de trouvé, rien d'imaginé, rien d'inventé dans ce style. Ce qu'on a vu partout, rhétorique, ampoule, lieux communs, fleurs de collège, poésie de vers latins. Des idées d'emprunt vêtues d'images de pacotille. Les poëtes de cette école sont élégants à la manière des princes et princesses de théâtre, toujours sûrs de trouver dans les cases étiquetées du magasin manteaux et couronnes de similor, qui n'ont que le malheur d'avoir servi à tout le monde. Si ces poëtes ne feuillettent pas la Bible, ce n'est pas qu'ils n'aient aussi leur gros livre, *le Dictionnaire des rimes*. C'est là leur source de poésie, *fontes aquarum*[246]. **(90)**

On comprend que dans tout cela la nature et la vérité deviennent ce qu'elles peuvent. Ce serait grand hasard qu'il en

---

244. *Legouvé :* poète français (1764-1812), connu pour son théâtre (*la Mort de Henri IV*, 1806), ses *Elégies* et son *Mérite des femmes* (1800). A propos de ses *Œuvres complètes*, qui venaient de sortir en librairie (1826), un critique du *Globe* écrivait (29 sept. 1827) : « Il lutte perpétuellement dans le dialogue pour produire en périphrases académiques les franches paroles de Sully et les vives saillies de Henri IV. Ses vers sur la poule au pot, cités bien des fois, ne mourront qu'avec le système de style tragique dont ils sont l'un des plus rares et des plus précieux échantillons »; **245.** Allusion à une anecdote des *Contes en prose* de Perrault; **246.** « Les sources des eaux » (expression biblique).

QUESTIONS

89. Tous les reproches adressés ici aux tenants du classicisme sont-ils également fondés? Les romantiques sont-ils seuls à s'être préoccupés de la vérité des costumes? Ont-ils seuls consulté les chroniques et veillé à l'exactitude historique? — Pourquoi est-il légitime de regretter l'absence du fameux *ventre-saint-gris!* dans la bouche du Henri IV de Legouvé? Hugo n'a-t-il pas néanmoins tendance à donner à ce cas particulier plus de portée qu'il n'en a?

90. Comment se manifeste le mépris d'Hugo pour le manque d'imagination et d'originalité des épigones de Delille?

surnageât quelque débris dans ce cataclysme de faux art, de faux style, de fausse poésie. Voilà ce qui a causé l'erreur de plusieurs de nos réformateurs distingués. Choqués de la roideur, de l'apparat, du *pomposo* de cette prétendue poésie dramatique, ils ont cru que les éléments de notre langage poétique étaient incompatibles avec le naturel et le vrai. L'alexandrin les avait tant de fois ennuyés, qu'ils l'ont condamné, en quelque sorte, sans vouloir l'entendre, et ont conclu, un peu précipitamment peut-être, que le drame devait être écrit en prose[247]. **(91)**

Ils se méprenaient. Si le faux règne en effet dans le style comme dans la conduite de certaines tragédies françaises, ce n'était pas aux vers qu'il fallait s'en prendre, mais aux versificateurs. Il fallait condamner, non la forme employée, mais ceux qui avaient employé cette forme; les ouvriers, et non l'outil. **(92)**

Pour se convaincre du peu d'obstacles que la nature de notre poésie oppose à la libre expression de tout ce qui est vrai, ce n'est peut-être pas dans Racine qu'il faut étudier notre vers, mais souvent dans Corneille, toujours dans Molière. Racine, divin poëte, est élégiaque, lyrique, épique; Molière est dramatique. Il est temps de faire justice des critiques entassées par le mauvais goût du dernier siècle[248] sur ce style admirable, et de dire hautement que Molière occupe la sommité de notre drame,

---

247. Hugo s'oppose ici à Mme de Staël et à Stendhal. « Le despotisme des alexandrins force souvent à ne pas mettre en vers ce qui serait pourtant de la véritable poésie » (*De l'Allemagne*, II, IX). « Il serait donc à désirer qu'on pût sortir de l'enceinte que les hémistiches et les rimes ont tracée autour de l'art » (*ibid.*, chap. XV). « Il faut désormais faire des tragédies pour nous, jeunes gens raisonneurs, sérieux et un peu envieux, de l'an de grâce 1823. Ces tragédies-là doivent être en prose. De nos jours, le vers alexandrin n'est le plus souvent qu'un cache-sottise » *(Racine et Shakespeare)* ; **248.** Molière subit, en effet, la désaffection du XVIIIe siècle. Mallet du Pan cherchant, en 1796, à donner l'idée d'un « spectacle en décadence », écrit : « C'est la Comédie-Française les jours de Molière. »

QUESTIONS

91. Quels sont, en 1827, les partisans du drame en prose? Sur quelles observations reposent leurs théories? Les ont-ils illustrées par des œuvres? Auront-ils des adeptes parmi les écrivains romantiques? Hugo lui-même n'écrira-t-il que des pièces en vers? Qu'en concluez-vous?

92. La distinction opérée ici entre l'*outil* et les *ouvriers* vous semble-t-elle légitime? L'observation d'Hugo s'applique-t-elle aux écrivains de la période considérée? Comment notre auteur en démontrera-t-il le bien-fondé?

non seulement comme poëte, mais encore comme écrivain. *Palmas vere habet iste duas*[249]. **(93)**

Chez lui, le vers embrasse l'idée, s'y incorpore étroitement, la resserre et la développe tout à la fois, lui prête une figure plus svelte, plus stricte, plus complète, et nous la donne en quelque sorte en élixir. Le vers est la forme optique de la pensée. Voilà pourquoi il convient surtout à la perspective scénique. Fait d'une certaine façon, il communique son relief à des choses qui, sans lui, passeraient insignifiantes et vulgaires. Il rend plus solide et plus fin le tissu du style. C'est le nœud qui arrête le fil. C'est la ceinture qui soutient le vêtement et lui donne tous ses plis. Que pourraient donc perdre à entrer dans le vers la nature et le vrai? Nous le demandons à nos prosaïstes eux-mêmes, que perdent-ils à la poésie de Molière[250]? Le vin, qu'on nous permette une trivialité de plus, cesse-t-il d'être du vin pour être en bouteille? **(94)**

Que si nous avions le droit de dire quel pourrait être, à notre gré, le style du drame, nous voudrions un vers libre, franc, loyal, osant tout dire sans pruderie, tout exprimer sans recherche; passant d'une naturelle allure de la comédie à la tragédie, du sublime au grotesque; tour à tour positif et poétique, tout ensemble artiste et inspiré, profond et soudain, large et vrai; sachant briser à propos et déplacer la césure pour déguiser sa monotonie d'alexandrin; plus ami de l'enjambement qui l'allonge que de l'inversion qui l'embrouille; fidèle à la rime[251],

---

249. « Il a vraiment deux palmes »; **250.** Phrase ajoutée en marge; **251.** Sainte-Beuve écrira à son tour, en 1829 *(Vie, poésies et pensées de Joseph Delorme) :* « Rime, qui donnes leurs sons / Aux chansons, / Rime, l'unique harmonie / Du vers, qui sans ses accents / Frémissants / Serait muet au génie », et on lira encore dans le *Petit Traité de poésie française* de Banville (1872) : « Dans le vers, pour peindre, pour évoquer des sons, pour susciter et fixer une impression, pour dérouler à nos yeux des spectacles grandioses, pour donner à une figure des contours plus purs et plus inflexibles que ceux du marbre ou de l'airain, la Rime est seule et elle suffit. C'est pourquoi *l'imagination de la Rime* est, entre toutes, la qualité qui constitue le poète. »

QUESTIONS

93. Pourquoi Hugo distingue-t-il Racine de Corneille et Molière? Pour quelles raisons l'auteur de *Phèdre* est-il généralement considéré par les romantiques comme le parangon du classicisme? — Molière est-il dramatique? L'est-il plus que Corneille? Quelles sont les pièces de ces deux écrivains que vous placeriez dans la catégorie du drame? Justifiez votre point de vue.

94. Quelles sont, d'après ce passage, les caractéristiques du vers de Molière? — Comment interprétez-vous l'expression *forme optique de la pensée?* Le vers n'est-il pas sensiblement à la pensée ce que le drame était à la nature?

cette esclave reine[252], cette suprême grâce de notre poésie, ce générateur de notre mètre; inépuisable dans la variété de ses tours, insaisissable dans ses secrets d'élégance et de facture; prenant, comme Protée[253], mille formes sans changer de type et de caractère, fuyant la *tirade;* se jouant dans le dialogue; se cachant toujours derrière le personnage[254]; s'occupant avant tout d'être à sa place, et lorsqu'il lui adviendrait d'être *beau*, n'étant beau en quelque sorte que par hasard, malgré lui et sans le savoir[255]; lyrique, épique, dramatique, selon le besoin; pouvant parcourir toute la gamme poétique, aller de haut en bas, des idées les plus élevées aux plus vulgaires, des plus bouffonnes aux plus graves, des plus extérieures aux plus abstraites, sans jamais sortir des limites d'une scène parlée; en un mot, tel que le ferait l'homme qu'une fée aurait doué de l'âme de Corneille et de la tête de Molière. Il nous semble que ce vers-là serait bien *aussi beau que de la prose*[256]. **(95)**

Il n'y aurait aucun rapport entre une poésie de ce genre et celle dont nous faisions tout à l'heure l'autopsie cadavérique. La nuance qui les sépare sera facile à indiquer, si un homme d'esprit[257], auquel l'auteur de ce livre doit un remerciement personnel, nous permet de lui en emprunter la piquante

---

252. Allusion au vers de Boileau (*l'Art poétique*, I, 30) : « La rime est une esclave, et ne doit qu'obéir »; **253.** *Protée :* dieu marin, auquel Poséidon avait donné le pouvoir de changer de forme à son gré. (Voir, par ex., *l'Odyssée*, IV); **254.** Membre de phrase ajouté en marge; **255.** « L'auteur de ce drame en causait un jour avec Talma, et, dans une conversation qu'il écrira plus tard, lorsqu'on ne pourra plus lui supposer l'intention d'appuyer son œuvre ou son dire sur des autorités, exposait au grand comédien quelques-unes de ses idées sur le style dramatique. « Ah! « oui, s'écria Talma l'interrompant vivement; c'est ce que je m'épuise à leur dire : « Pas de beaux vers! » *Pas de beaux vers!* c'était l'instinct du génie qui trouvait ce précepte profond. Ce sont en effet les *beaux vers* qui tuent les belles pièces » *(note de Victor Hugo)*. E. Deschamps reprendra cette opinion dans sa préface des *Etudes françaises et étrangères* (1828); **256.** La Harpe raconte *(Lycée)* que lorsque les philosophes du XVIIIe siècle, contempteurs du vers, voulaient « louer des vers qui leur paraissaient faire une exception », ils déclaraient : « Cela est beau comme de la prose »; **257.** Sainte-Beuve (?).

QUESTIONS

95. En quoi l'alexandrin romantique tel qu'il est défini ici se distingue-t-il de l'alexandrin classique? Quelle importance Hugo accorde-t-il à la rime? En quoi sa conception diffère-t-elle de celle de Boileau? — La versification dramatique de notre auteur répondra-t-elle aux exigences formulées dans ce passage? Laquelle de ses pièces vous paraît-elle, de ce point de vue, la plus représentative? Justifiez votre réponse. — Pourquoi la *Préface* réitère-t-elle la condamnation de la tirade? Ne peut-on voir dans cette insistance une concession à certains romantiques? Lesquels? — Caractérisez le style du paragraphe. Par quels détails se manifeste l'enthousiasme du jeune écrivain? Quel trait dénote le polémiste?

distinction : l'autre poésie était descriptive, celle-ci serait pittoresque[258]. **(96)**

Répétons-le surtout, le vers au théâtre doit dépouiller tout amour-propre, toute exigence, toute coquetterie. Il n'est là qu'une forme, et une forme qui doit tout admettre, qui n'a rien à imposer au drame, et au contraire doit tout recevoir de lui pour tout transmettre au spectateur : français, latin, textes de lois, jurons royaux, locutions populaires, comédie, tragédie, rire, larmes, prose et poésie. Malheur au poëte si son vers fait la petite bouche! Mais cette forme est une forme de bronze qui encadre la pensée dans son mètre, sous laquelle le drame est indestructible, qui le grave plus avant dans l'esprit de l'acteur, avertit celui-ci de ce qu'il omet et de ce qu'il ajoute, l'empêche d'altérer son rôle, de se substituer à l'auteur, rend chaque mot sacré, et fait que ce qu'a dit le poëte se retrouve longtemps après encore debout dans la mémoire de l'auditeur. L'idée, trempée dans le vers, prend soudain quelque chose de plus incisif et de plus éclatant. C'est le fer qui devient acier. **(97)**

On sent que la prose, nécessairement bien plus timide, obligée de sevrer le drame de toute poésie lyrique ou épique, réduite au dialogue et au positif, est loin d'avoir ces ressources. Elle a les ailes bien moins larges. Elle est ensuite d'un beaucoup plus facile accès; la médiocrité y est à l'aise[259], et, pour quelques ouvrages distingués comme ceux que ces derniers temps ont vus paraître, l'art serait bien vite encombré d'avortons et d'embryons. Une autre fraction de la réforme inclinerait pour le drame écrit en vers et en prose tout à la fois, comme a fait

---

258. Tout le paragraphe est ajouté en marge; **259.** Réminiscence possible de Gilbert : « Un vers coûte à polir, et le travail nous pèse; / Mais en prose du moins, on est sot à son aise » (*Satire I :* « le XVIIIe Siècle »).

QUESTIONS

96. Qu'est-ce que le pittoresque? En quoi s'oppose-t-il au descriptif? Le contexte vous permet-il de préciser le sens que Victor Hugo prête à chacune de ces notions?

97. *Cromwell* vous semble-t-il illustrer la théorie du vers telle qu'elle est exposée ici? Y rencontre-t-on des citations latines, des textes de lois, des locutions populaires, etc., coulés dans le moule de l'alexandrin? Étudiez le caractère démonstratif de la pièce. Celui-ci n'est-il pas souligné par certains personnages? Lesquels? — Quels sont, d'après ce passage, les trois grands avantages de l'emploi du vers? Vous semblent-ils spécifiques du mètre romantique?

Shakespeare[260]. Cette manière a ses avantages. Il pourrait cependant y voir disparate dans les transitions d'une forme à l'autre, et quand un tissu est homogène, il est bien plus solide. Au reste, que le drame soit écrit en prose, qu'il soit écrit en vers, qu'il soit écrit en vers et en prose, ce n'est là qu'une question secondaire. Le rang d'un ouvrage doit se fixer non d'après sa forme, mais d'après sa valeur intrinsèque. Dans des questions de ce genre, il n'y a qu'une solution; il n'y a qu'un poids qui puisse faire pencher la balance de l'art : c'est le génie. **(98)**

Au demeurant, prosateur ou versificateur, le premier, l'indispensable mérite d'un écrivain dramatique, c'est la correction. Non cette correction toute de surface, qualité ou défaut de l'école descriptive, qui fait de Lhomond[261] et de Restaut[262] les deux ailes de son Pégase[263]; mais cette correction intime, profonde, raisonnée, qui s'est pénétrée du génie d'un idiome, qui en a sondé les racines, fouillé les étymologies; toujours libre, parce qu'elle est sûre de son fait, et qu'elle va toujours d'accord avec la logique de la langue. Notre Dame la grammaire mène l'autre aux lisières; celle-ci tient en laisse la grammaire[264].

260. Il s'agit sans doute de la tentative de Bruguière de Sorsum dont Vigny a rendu compte en 1824 dans *la Muse française ;* **261.** *Lhomond :* latiniste et grammairien français (1727-1794). Il est l'auteur du fameux *De viris illustribus... ;* **262.** *Restaut :* grammairien français (1696-1764), dont les *Principes généraux et raisonnés de la grammaire française* (1730) connurent une grande vogue au XVIIIe siècle; **263.** *Pégase :* cheval ailé de la mythologie grecque. Il symbolise ici l'inspiration poétique; **264.** On pouvait déjà lire dans la préface des *Odes et Ballades* de 1826 : « Il est bien entendu que la liberté ne doit jamais être l'anarchie; que l'originalité ne peut en aucun cas servir de prétexte à l'incorrection. Dans une œuvre littéraire, l'exécution doit être d'autant plus irréprochable que la conception est plus hardie. Si vous voulez avoir raison autrement que les autres, vous devez avoir dix fois raison. Plus on dédaigne la rhétorique, plus il sied de respecter la grammaire. On ne doit détrôner Aristote que pour faire régner Vaugelas. »

QUESTIONS

98. Les critiques adressées à la prose vous paraissent-elles fondées? En quoi est-elle d'un *plus facile accès* que le vers? La médiocrité ne peut-elle se trouver *à l'aise* dans les « bataillons serrés d'alexandrins carrés » qu'Hugo dénoncera plus tard? — La prose ne peut-elle être ni lyrique ni épique? L'exemple d'un grand écrivain contemporain n'aurait-il pu inciter le jeune auteur à se montrer moins catégorique? — A quels *ouvrages distingués* Hugo peut-il faire allusion ici? Quel est le genre théâtral le plus en vogue en 1827? Pourquoi la sympathie de l'auteur de *Cromwell* lui est-elle, au moins partiellement, acquise? N'a-t-on pas, d'ailleurs, vu paraître quelques essais de drames en prose? Lesquels? Comment ont-ils été accueillis? A quelle littérature Hugo s'oppose-t-il, au-delà des distinctions d'écoles? A quelle notion fait-il, une fois de plus, appel? Vous apprécierez ses conclusions.

Elle peut oser, hasarder, créer, inventer son style : elle en a le droit. Car, bien qu'en aient dit[265] certains hommes qui n'avaient pas songé à ce qu'ils disaient, et parmi lesquels il faut ranger notamment celui qui écrit ces lignes, la langue française n'est pas *fixée* et ne se fixera point[266]. Une langue ne se fixe pas. L'esprit humain est toujours en marche, ou, si l'on veut, en mouvement, et les langues avec lui. Les choses sont ainsi. Quand le corps change, comment l'habit ne changerait-il pas? Le français du dix-neuvième siècle ne peut pas plus être le français du dix-huitième, que celui-ci n'est le français du dix-septième, que le français du dix-septième n'est celui du seizième. La langue de Montaigne n'est plus celle de Rabelais, la langue de Pascal n'est plus celle de Montaigne, la langue de Montesquieu n'est plus celle de Pascal. Chacune de ces quatre langues, prise en soi, est admirable, parce qu'elle est originale. Toute époque a ses idées propres, il faut qu'elle ait aussi les mots propres à ces idées. Les langues sont comme la mer, elles oscillent sans cesse. A certains temps, elles quittent un rivage du monde de la pensée et en envahissent un autre. Tout ce que leur flot déserte ainsi sèche et s'efface du sol. C'est de cette façon que des idées s'éteignent, que des mots s'en vont. Il en est des idiomes humains comme de tout. Chaque siècle y apporte et en emporte quelque chose. Qu'y faire? cela est fatal. C'est donc en vain que l'on voudrait pétrifier la mobile physionomie de notre idiome sous une forme donnée. C'est en vain que nos Josués[267] littéraires crient à la langue de s'arrêter; les langues ni le soleil ne s'arrêtent plus. Le jour où elles se *fixent*, c'est qu'elles meurent[268]. — Voilà pourquoi le français de certaine école contemporaine est une langue morte. **(99)**

---

265. Tour inusité. On attendrait : *quoi qu'en aient dit ;* **266.** Allusion à un passage de la préface des *Odes et Ballades* de 1824 : « Nul ne pousse plus loin que l'auteur de ce livre l'estime pour cet excellent esprit. Boileau partage avec notre Racine le mérite *unique* d'avoir fixé la langue française, ce qui suffirait pour prouver que lui aussi avait un *génie créateur* »; **267.** *Josué :* successeur de Moïse qui fit entrer les Hébreux dans le pays de Canaan. Il aurait, lors de la bataille de Gabaon, arrêté le soleil dans sa course afin de prolonger le jour et de remporter la victoire; **268.** Certaines idées de ce passage seront ultérieurement développées par le linguiste Darmesteter (1846-1888).

QUESTIONS

99. Quelle différence Hugo établit-il entre la *correction de surface* et la *correction intime?* Quels sont les rapports de chacune de ces notions avec la grammaire? Comment cette dernière est-elle envisagée ici? Quelle attitude l'écrivain doit-il adopter à son égard? Sur quelles constatations se fonde la théorie linguistique exposée ici? Quelle est l'idée essentielle du passage? Est-il exact que la langue évolue parallèlement à la pensée?

Telles sont, à peu près, et moins les développements approfondis qui en pourraient compléter l'évidence, les idées *actuelles* de l'auteur de ce livre sur le drame. Il est loin du reste d'avoir la prétention de donner son essai dramatique comme une émanation de ces idées, qui bien au contraire ne sont peut-être elles-mêmes, à parler naïvement, que des révélations de l'exécution. Il lui serait fort commode sans doute et plus adroit d'asseoir son livre sur sa préface et de les défendre l'un par l'autre. Il aime mieux moins d'habileté et plus de franchise. Il veut donc être le premier à montrer la ténuité du nœud qui lie cet avant-propos à ce drame. Son premier projet, bien arrêté d'abord par sa paresse, était de donner l'œuvre toute seule au public; *el demonio sin las cuernas*[269], comme disait Yriarte[270]. C'est après l'avoir dûment close et terminée, qu'à la sollicitation de quelques amis[271] probablement bien aveuglés, il s'est déterminé à compter avec lui-même dans une préface, à tracer, pour ainsi parler, la carte du voyage poétique qu'il venait de faire, à se rendre raison des acquisitions bonnes ou mauvaises qu'il en rapportait, et des nouveaux aspects sous lesquels le domaine de l'art s'était offert à son esprit. On prendra sans doute avantage de cet aveu pour répéter le reproche qu'un critique d'Allemagne[272] lui a déjà adressé, de faire « une poétique pour sa poésie ». Qu'importe? Il a d'abord eu bien plutôt l'intention de défaire que de faire des poétiques[273]. Ensuite, ne vaudrait-il pas toujours mieux faire des poétiques d'après une poésie, que de la poésie d'après une poétique? Mais non, encore une fois, il n'a ni le talent de créer, ni la prétention d'établir des systèmes. « Les systèmes, dit spirituellement Voltaire, sont comme des rats qui passent par vingt trous, et en trouvent enfin deux ou trois qui ne peuvent les admettre[274]. » C'eût donc été prendre une peine inutile et au-dessus de ses forces[275]. Ce qu'il a plaidé, au contraire, c'est la liberté de l'art contre le despotisme

---

269. « Le diable sans les cornes. » Il faudrait, en réalité, *los cuernos* et non *las cuernas;* **270.** *Yriarte :* écrivain espagnol (1750-1791), traducteur de l'*Art poétique* d'Horace et auteur de *Fables littéraires* dans lesquelles il donne des préceptes relatifs à l'art d'écrire; **271.** Les habitués du salon de l'Arsenal, chez Charles Nodier; **272.** J.-P. Richter avait écrit de son *Introduction à l'esthétique* (1804) qu'elle n'était pas « un discours de charpentier prononcé du haut d'un bâtiment achevé »; **273.** Dumas constatera de son côté *(Comment je devins auteur dramatique) :* « Tout le monde était d'accord sur un point, c'est que si l'on ne savait pas encore ce qu'on voulait, on savait au moins ce qu'on ne voulait plus »; **274.** « Les systèmes sont comme les rats, qui peuvent passer par vingt petits trous, et qui en trouvent deux ou trois qui ne peuvent les admettre » *(Dictionnaire philosophique) ;* **275.** Cette phrase et la citation ont été ajoutées en marge.

des systèmes, des codes et des règles. Il a pour habitude de suivre à tout hasard ce qu'il prend pour son inspiration, et de changer de moule autant de fois que de composition. Le dogmatisme, dans les arts, est ce qu'il fuit avant tout. A Dieu ne plaise qu'il aspire à être de ces hommes, romantiques ou classiques, qui font *des ouvrages dans leur système*, qui se condamnent à n'avoir jamais qu'une forme dans l'esprit, à toujours *prouver* quelque chose, à suivre d'autres lois que celles de leur organisation et de leur nature. L'œuvre artificielle de ces hommes-là, quelque talent qu'ils aient d'ailleurs, n'existe pas pour l'art. C'est une théorie, non une poésie. **(100) (101)**

QUESTIONS

100. La théorie dramatique exposée dans la *Préface* vous semble-t-elle, comme le laisse entendre Hugo, tributaire de la pièce de *Cromwell?* Sur quels détails de notre texte fondez-vous votre opinion? L'auteur vous paraît-il toutefois parfaitement sincère? Ses lectures n'ont-elles pas joué, dans la genèse de ses conceptions théâtrales, un rôle plus important qu'il ne le laisse supposer? — Quelle est la part de la sincérité et celle de la fausse modestie dans les justifications proposées ici? Quels défauts de son ouvrage Hugo nous signale-t-il? Pourquoi le fait-il? Vous semble-t-il agir en polémiste adroit? — Est-il, selon vous, préférable de *faire des poétiques d'après une poésie* plutôt que *de la poésie d'après une poétique?* Les œuvres ont-elles, d'une façon générale, précédé ou suivi les théories? — Quelles sont les deux grandes conceptions de la poésie qui s'affrontent à la fin de ce paragraphe? Ne les a-t-on jamais opposées avant la période romantique? Leur antagonisme ne se manifeste-t-il pas tout au long de notre littérature?

101. Sur l'ensemble du passage relatif à la théorie du drame. — Rappelez les grandes lignes de l'argumentation d'Hugo. L'exposé de sa théorie vous semble-t-il constituer un ensemble cohérent? Quelle démarche l'auteur a-t-il adoptée? Ses idées s'enchaînent-elles de façon rigoureuse? Pourquoi la première question abordée est-elle celle du mélange des genres? Comment passe-t-on de ce problème à la critique des règles? Cette critique amène-t-elle logiquement le lecteur à s'interroger sur l'imitation des modèles?

— L'originalité de la théorie proposée. L'opposition d'Hugo aux classiques est-elle aussi totale que pourraient le faire croire quelques déclarations fracassantes? Ne retrouve-t-on pas, sous des terminologies différentes, un certain nombre de points communs à notre auteur et à ses adversaires? Nommez-en quelques-uns. Le désaccord ne reposerait-il pas plus, en fin de compte, sur une question de technique que sur un problème de fond? Les idées de la *Préface* appartiennent-elles, par ailleurs, en propre au jeune écrivain qui s'en fait le champion? Beaucoup d'entre elles ne sont-elles pas *dans l'air?* n'ont-elles pas même déjà été publiées? Lesquelles et dans quels ouvrages? Hugo ne se montre-t-il pas, malgré tout, novateur? Dans quels domaines particuliers?

— La liberté dans l'art. En quoi ce principe est-il essentiel à la compréhension de cette seconde partie de la *Préface?* N'est-ce pas lui qui détermine l'attitude du poète à l'égard des règles? des modèles? Montrez qu'il sert de dénominateur commun à tous les thèmes abordés par Hugo.

[PRÉSENTATION À LA CRITIQUE]

Après avoir, dans tout ce qui précède, essayé d'indiquer quelle a été, selon nous, l'origine du drame, quel est son caractère, quel pourrait être son style, voici le moment de redescendre de ces sommités générales de l'art au cas particulier qui nous y a fait monter. Il nous reste à entretenir le lecteur de notre ouvrage, de ce *Cromwell;* et comme ce n'est pas un sujet qui nous plaise, nous en dirons peu de chose en peu de mots. **(102)**

[LE PERSONNAGE DE CROMWELL.]

Olivier Cromwell est du nombre de ces personnages de l'histoire qui sont tout ensemble très célèbres et très peu connus. La plupart de ses biographes, et dans le nombre il en est qui sont historiens, ont laissé incomplète cette grande figure. Il semble qu'ils n'aient pas osé réunir tous les traits de ce bizarre et colossal prototype de la réforme religieuse, de la révolution politique d'Angleterre. Presque tous se sont bornés à reproduire sur des dimensions plus étendues le simple et sinistre profil qu'en a tracé Bossuet[276], de son point de vue monarchique et catholique, de sa chaire d'évêque appuyée au trône de Louis XIV[277]. **(103)**

Comme tout le monde, l'auteur de ce livre s'en tenait là. Le nom d'Olivier Cromwell ne réveillait en lui que l'idée sommaire d'un fanatique régicide, grand capitaine. C'est en furetant la chronique, ce qu'il fait avec amour, c'est en fouillant au hasard les mémoires anglais du dix-septième siècle, qu'il fut frappé de voir se dérouler peu à peu devant ses yeux un Cromwell tout nouveau. Ce n'était plus seulement le Cromwell militaire, le Cromwell politique de Bossuet; c'était un être complexe,

---

276. Dans l'*Oraison funèbre d'Henriette de France;* 277. « C'était, déclare Bossuet, le conseil de Dieu d'instruire les rois à ne point quitter son Église. Il voulait découvrir, par un grand exemple, tout ce que peut l'hérésie; combien elle est naturellement indocile et indépendante, combien fatale à la royauté et à toute autorité légitime. »

QUESTIONS

102. Quelle impression Hugo cherche-t-il à produire dans cette transition? Quel style utilise-t-il?

103. Comment Bossuet interprète-t-il le personnage de Cromwell? Quels reproches lui adresse Hugo? Ces reproches vous semblent-ils fondés?

hétérogène, multiple, composé de tous les contraires, mêlé de beaucoup de mal et de beaucoup de bien, plein de génie et de petitesse; une sorte de Tibère-Dandin[278], tyran de l'Europe et jouet de sa famille; vieux régicide, humiliant les ambassadeurs de tous les rois, torturé par sa jeune fille royaliste; austère et sombre dans ses mœurs et entretenant quatre fous de cour autour de lui; faisant de méchants vers; sobre, simple, frugal, et guindé sur l'étiquette; soldat grossier et politique délié; rompu aux arguties théologiques et s'y plaisant; orateur lourd, diffus, obscur, mais habile à parler le langage de tous ceux qu'il voulait séduire; hypocrite et fanatique; visionnaire dominé par des fantômes de son enfance, croyant aux astrologues et les proscrivant; défiant à l'excès, toujours menaçant, rarement sanguinaire; rigide observateur des prescriptions puritaines, perdant gravement plusieurs heures par jour à des bouffonneries; brusque et dédaigneux avec ses familiers, caressant avec les sectaires qu'il redoutait; trompant ses remords avec des subtilités, rusant avec sa conscience; intarissable en adresse, en pièges, en ressources; maîtrisant son imagination par son intelligence; grotesque et sublime; enfin, un de ces hommes *carrés par la base*[279], comme les appelait Napoléon, le type et le chef de tous ces hommes complets, dans sa langue exacte comme l'algèbre, colorée comme la poésie[280]. **(104)**

Celui qui écrit ceci, en présence de ce rare et frappant ensemble, sentit que la silhouette passionnée de Bossuet ne lui suffisait plus. Il se mit à tourner autour de cette haute figure, et il fut pris alors d'une ardente tentation de peindre le géant sous toutes ses faces, sous tous ses aspects. La matière était riche. A côté de l'homme de guerre et de l'homme d'État, il

---

278. *Tibère :* empereur romain (14-37), que Tacite et Suétone nous ont habitués à voir sous les traits de la débauche et de la cruauté. *Dandin :* juge fourbe et ridicule, dans *les Plaideurs* de Racine; **279.** Voir le *Mémorial de Sainte-Hélène* (4 décembre 1815) : « Il était rare et difficile, disait-il [Napoléon], de réunir toutes les qualités nécessaires à un grand général. Ce qui était le plus désirable et tirait aussitôt quelqu'un hors de ligne, c'est que chez lui l'esprit ou le talent fût en équilibre avec le caractère ou le courage; c'est ce qu'il appelait être *carré* autant de base que de hauteur »; **280.** Ce parallèle entre Napoléon et Cromwell est suggéré par le *Mémorial* (1er mai 1816) : « Napoléon se trouve avoir été en France tout à la fois le Cromwell et le Guillaume III de l'Angleterre. »

QUESTIONS

104. Comment le personnage de Cromwell nous est-il présenté ici? Par quels procédés l'auteur cherche-t-il à en faire ressortir la richesse et la complexité? En quoi une telle personnalité est-elle dramatique au sens hugolien du terme?

restait à crayonner le théologien, le pédant, le mauvais poëte, le visionnaire, le bouffon, le père, le mari, l'homme-Protée, en un mot le Cromwell double, *homo et vir*[281]. **(105)**

Il y a surtout une époque dans sa vie où ce caractère singulier se développe sous toutes ses formes. Ce n'est pas, comme on le croirait au premier coup d'œil, celle du procès de Charles Ier, toute palpitante qu'elle est d'un intérêt sombre et terrible; c'est le moment où l'ambitieux essaya de cueillir le fruit de cette mort. C'est l'instant où Cromwell, arrivé à ce qui eût été pour quelque autre la sommité d'une fortune possible, maître de l'Angleterre dont les mille factions se taisent sous ses pieds, maître de l'Écosse dont il fait un pachalik[282], et de l'Irlande, dont il fait un bagne, maître de l'Europe par ses flottes, par ses armées, par sa diplomatie, essaie enfin d'accomplir le premier rêve de son enfance, le dernier but de sa vie, de se faire roi. L'histoire n'a jamais caché plus haute leçon sous un drame plus haut. Le Protecteur se fait d'abord prier; l'auguste farce commence par des adresses de communautés, des adresses de villes, des adresses de comtés; puis c'est un bill[283] du Parlement. Cromwell, auteur anonyme de la pièce, en veut paraître mécontent; on le voit avancer une main vers le sceptre et la retirer; il s'approche à pas obliques de ce trône dont il a balayé la dynastie. Enfin, il se décide brusquement; par son ordre, Westminster est pavoisé, l'estrade est dressée, la couronne est commandée à l'orfèvre, le jour de la cérémonie est fixé. Dénoûment étrange! C'est ce jour-là même, devant le peuple, la milice, les communes[284], dans cette grande salle de Westminster, sur cette estrade dont il comptait descendre roi, que, subitement, comme en sursaut, il semble se réveiller à l'aspect de la couronne, demande s'il rêve, ce que veut dire cette cérémonie, et dans un discours qui dure trois heures refuse la dignité royale. — Était-ce que ses espions l'avaient averti de deux

281. *Homo* désigne l'être humain en général. *Vir* s'applique à l'homme dans la plénitude du terme, c'est-à-dire envisagé dans ses qualités intrinsèques (qui l'opposent à la femme, à l'enfant, etc.); 282. *Pachalik :* division administrative de l'Empire ottoman, gouvernée par un pacha; 283. *Bill :* projet de loi; 284. Les sept derniers mots ont été ajoutés en marge.

QUESTIONS

105. La démarche d'Hugo vous paraît-elle propre à donner de son personnage un portrait objectif? Quels détails vous laissent à penser que l'imagination de l'écrivain ne restera pas étrangère à l'élaboration du drame?

conspirations combinées des cavaliers et des puritains, qui devaient, profitant de sa faute, éclater le même jour? Était-ce révolution produite en lui par le silence ou les murmures de ce peuple, déconcerté de voir son régicide aboutir au trône? Était-ce seulement sagacité du génie, instinct d'une ambition prudente, quoique effrénée, qui sait combien un pas de plus change souvent la position et l'attitude d'un homme, et qui n'ose exposer son édifice plébéien au vent de l'impopularité? Était-ce tout cela à la fois? C'est ce que nul document contemporain n'éclaircit souverainement. Tant mieux; la liberté du poëte en est plus entière, et le drame gagne à ces latitudes que lui laisse l'histoire. On voit ici qu'il est immense et unique; c'est bien là l'heure décisive, la grande péripétie de la vie de Cromwell. C'est le moment où sa chimère lui échappe, où le présent lui tue l'avenir, où, pour employer une vulgarité énergique, sa destinée *rate*. Tout Cromwell est en jeu dans cette comédie qui se joue entre l'Angleterre et lui.

Voilà donc l'homme, voilà l'époque qu'on a tenté d'esquisser dans ce livre. **(106)**

[La pièce de Cromwell.]

L'auteur s'est laissé entraîner au plaisir d'enfant de faire mouvoir les touches de ce grand clavecin. Certes, de plus habiles en auraient pu tirer une haute et profonde harmonie, non de ces harmonies qui ne flattent que l'oreille, mais de ces harmonies intimes qui remuent tout l'homme, comme si chaque corde du clavier se nouait à une fibre du cœur. Il a cédé, lui, au désir de peindre tous ces fanatismes, toutes ces superstitions, maladies des religions à certaines époques; à l'envie de *jouer de tous ces*

QUESTIONS

106. A quels détails remarquez-vous que l'auteur se passionne pour son sujet? Quels procédés relèvent du style oratoire? Quels sont les passages qui vous semblent particulièrement emphatiques? A quelles étapes de l'exposé d'Hugo correspondent-ils? quel rôle leur est, selon vous, dévolu? — L'enthousiasme de l'écrivain ne risque-t-il pas de porter atteinte à la vérité historique? Ces lignes ne renferment-elles pas un aveu, de ce point de vue, significatif? Citez-le et commentez-le. La tendance qui s'y manifeste est-elle personnelle à Hugo ou la partage-t-il avec ses contemporains? N'existe-t-il pas une conception proprement romantique de l'histoire? En quoi consiste-t-elle? Par qui sera-t-elle surtout illustrée? — L'épisode sur lequel repose le drame est-il bien *l'heure décisive* de la vie de Cromwell? Pourquoi le dramaturge l'a-t-il choisi? En quoi a-t-il pu lui paraître exemplaire?

hommes, comme dit Hamlet[285]; d'étager au-dessous et autour de Cromwell, centre et pivot de cette cour, de ce peuple, de ce monde, ralliant tout à son unité et imprimant à tout son impulsion, et cette double conspiration tramée par deux factions qui s'abhorrent, se liguent pour jeter bas l'homme qui les gêne, mais s'unissent sans se mêler[286]; et ce parti puritain, fanatique, divers, sombre, désintéressé, prenant pour chef l'homme le plus petit pour un si grand rôle, l'égoïste et pusillanime Lambert[287]; et ce parti des Cavaliers, étourdi, joyeux, peu scrupuleux, insouciant, dévoué, dirigé par l'homme qui, hormis le dévouement, le représente le moins, le probe et sévère Ormond[288]; et ces ambassadeurs, si humbles devant le soldat de fortune; et cette cour étrange toute mêlée d'hommes de hasard et de grands seigneurs disputant de bassesse; et ces quatre bouffons que le dédaigneux oubli de l'histoire permettait d'imaginer; et cette famille dont chaque membre est une plaie de Cromwell; et ce Thurloë[289], l'*Achates*[290] du Protecteur; et ce rabbin juif, cet Israël Ben-Manassé[291], espion, usurier et astrologue, vil de deux côtés, sublime par le troisième; et ce Rochester[292], ce bizarre Rochester, ridicule et spirituel, élégant et crapuleux, jurant sans cesse, toujours amoureux et toujours ivre, ainsi qu'il s'en vantait à l'évêque Burnet[293], mauvais poëte et bon gentilhomme, vicieux et naïf, jouant sa tête et se souciant peu de gagner la partie pourvu qu'elle l'amuse, capable de tout, en un mot, de ruse et d'étourderie, de folie et de calcul, de turpitude et de générosité; et ce sauvage Carr, dont l'histoire ne dessine qu'un trait, mais bien caractéristique et bien fécond; et ces fanatiques de tout ordre et de tout genre, Harrison, fanatique pillard; Barebone, marchand fanatique; Syndercomb, tueur; Augustin Garland, assassin larmoyant et dévot; le brave colonel Overton, ettré un peu déclamateur; l'austère et rigide Ludlow[294], qui

---

285. Allusion probable à *Hamlet*, III, II : « Par mon sang! pensez-vous qu'il soit lus aisé de jouer de moi que d'une flûte? Donnez-moi le nom de tel instrument u'il vous plaira; vous pouvez m'impatienter, m'irriter; mais vous jouer de moi! amais »; **286.** Passage ajouté en marge depuis *et cette double conspiration;* **287.** *Lam-ert :* général anglais réaliste et ambitieux (1619-1683), qui fut l'un des principaux rtisans de l'établissement du protectorat de Cromwell. Dépourvu de scrupule, a traité successivement avec les différents partis. Incarcéré après la restauration es Stuarts, il mourut en prison; **288.** *Ormond :* conjuré royaliste dans la pièce 'Hugo; **289.** *Thurloë :* secrétaire d'État modéré qui soutint Cromwell par crainte es républicains (1616-1668); **290.** *Achate :* fidèle compagnon d'Énée dans l'épopée e Virgile; **291.** *Ben-Manassé :* rabbin juif dans la pièce d'Hugo; **292.** *Rochester :* rand seigneur libertin et poète mondain d'un certain talent (1647-1680); **293.** *Burnet :* rélat et historien anglais (1643-1715); **294.** *Carr, Harrison, Barebone, Syndercomb, arland, Overton* et *Ludlow* sont, dans la pièce d'Hugo, des conjurés puritains.

alla plus tard laisser sa cendre et son épitaphe à Lausanne; enfin « Milton et quelques autres qui avaient de l'esprit », comme dit un pamphlet de 1675 *(Cromwell politique)*, qui nous rappelle le *Danten quemdam*[295] de la chronique italienne[296]. **(107)**

Nous n'indiquons pas beaucoup de personnages plus secondaires, dont chacun a cependant sa vie réelle et son individualité marquée, et qui tous contribuaient à la séduction qu'exerçait sur l'imagination de l'auteur cette vaste scène de l'histoire. De cette scène il a fait ce drame. Il l'a jeté en vers, parce que cela lui a plu ainsi. On verra du reste à le lire combien il songeait peu à son ouvrage en écrivant cette préface, avec quel désintéressement, par exemple, il combattait le dogme des unités. Son drame ne sort pas de Londres, il commence le 25 juin 1657 à trois heures du matin et finit le 26 à midi. On voit qu'il entrerait presque dans la prescription classique, telle que les professeurs de poésie la rédigent maintenant. Qu'ils ne lui en sachent du reste aucun gré. Ce n'est pas avec la permission d'Aristote, mais avec celle de l'histoire, que l'auteur a groupé ainsi son drame; et parce que, à intérêt égal, il aime mieux un sujet concentré qu'un sujet éparpillé. **(108)**

---

295. « Un certain Dante »; **296.** Chronique non identifiée.

QUESTIONS

107. Quels traits dénotent, une fois de plus, la fausse modestie de l'auteur? — La comparaison de Cromwell et de son époque à un claveci ne présente-t-elle pas un intérêt particulier? A quelle conception de l poésie peut faire penser cette référence au domaine musical? Par qu sera-t-elle, en particulier, exploitée? — Quelle impression Hugo cherche-t-i à produire sur le lecteur par le catalogue commenté qu'il dresse de principaux personnages de sa pièce? Son style vous paraît-il en accor avec son dessein? Comment parvient-il à créer le sentiment de profusio qu'il veut faire ressentir? — Quel rôle jouent, dans ce passage, les allusions politiques ou littéraires?

108. Sur quelle catégorie de personnages semble surtout devoir s'exerce l'imagination de l'auteur? Ne participe-t-il pas en cela de certaines traditions du roman historique? Lesquelles? Quels écrivains s'y confor meront-ils? En connaissez-vous qui aient rompu avec ces conventions — Quelle unité respecte le drame de *Cromwell?* Satisfait-il égalemen aux deux autres? Se conforme-t-il à celle que reconnaît la *Préface?* — Quel intérêt y a-t-il pour Hugo à signaler, dans son œuvre, une apparenc de classicisme? Vous apprécierez son talent de polémiste. — Quel conclusion pourrait-on tirer du fait que notre auteur préfère *un suje concentré* à *un sujet éparpillé?* N'existerait-il pas, chez lui, une certain forme de classicisme? Dans quelle mesure la querelle entre classique et romantiques ne se ramènerait-elle pas à un simple désaccord quant a choix des sujets?

[LE PROBLÈME DE LA REPRÉSENTATION.]

Il est évident que ce drame, dans ses proportions actuelles, ne pourrait s'encadrer dans nos représentations scéniques. Il est trop long. On reconnaîtra peut-être cependant qu'il a été dans toutes ses parties composé pour la scène. C'est en s'approchant de son sujet pour l'étudier que l'auteur reconnut ou crut reconnaître l'impossibilité d'en faire admettre une reproduction fidèle sur notre théâtre, dans l'état d'exception où il est placé, entre le Charybde académique et le Scylla administratif, entre les jurys littéraires et la censure politique. Il fallait opter : ou la tragédie pateline, sournoise, fausse, et jouée, ou le drame insolemment vrai, et banni[297]. La première chose ne valait pas la peine d'être faite; il a préféré tenter la seconde. C'est pourquoi, désespérant d'être jamais mis en scène, il s'est livré libre et docile aux fantaisies de la composition, au plaisir de la dérouler à plus larges plis, aux développements que son sujet comportait, et qui, s'ils achèvent d'éloigner son drame du théâtre, ont du moins l'avantage de le rendre presque complet sous le rapport historique[298]. Du reste, les comités de lecture ne sont qu'un obstacle de second ordre. S'il arrivait que la censure dramatique, comprenant combien cette innocente, exacte et consciencieuse image de Cromwell et de son temps est prise en dehors de notre époque, lui permît l'accès du théâtre, l'auteur, mais dans ce cas seulement, pourrait extraire de ce drame une pièce qui se hasarderait alors sur la scène, et serait sifflée[299]. **(109)**

---

297. De fait, plusieurs drames d'Hugo, à commencer par *Marion de Lorme*, seront interdits; **298.** Phrase ajoutée en marge; **299.** On trouve, dans les papiers d'Hugo des années 1870-1875, le projet d'une comédie en trois parties extraite de Cromwell : *Quand sera-t-il roi?* En 1927, pour le centenaire de la pièce, la Comédie-Française projette un moment de la porter à la scène; elle y renonce devant l'ampleur des difficultés. Enfin, en 1956, une adaptation de *Cromwell* par René Bianco et Richard Heinz est jouée dans la cour du Louvre. « Pour une folie, déclarait, à cette occasion, Cocteau, c'en est une! Master Cromwell! et au Louvre, sur une estrade qui m'en évoque une autre, où Charles Ier d'Angleterre donnait sa terrible représentation d'adieu. Mais comme le murmure Tristan à Iseut, c'est une belle folie. »

QUESTIONS

109. Hugo vous paraît-il sincère dans l'exposé des motifs qui l'ont mené à composer une pièce injouable? Ne se pourrait-il pas qu'il se soit, plus simplement, laissé entraîner par son sujet? Quels passages de la *Préface* vous semblent pouvoir étayer cette dernière opinion? — Que pouvait redouter Hugo de la censure politique en 1827? Certains de ses drames ultérieurs ne seront-ils pas interdits? Lesquels? Pour quels motifs?

Jusque-là il continuera de se tenir éloigné du théâtre. Et il quittera toujours assez tôt, pour les agitations de ce monde nouveau, sa chère et chaste retraite. Fasse Dieu qu'il ne se repente jamais d'avoir exposé la vierge obscurité de son nom et de sa personne aux écueils, aux bourrasques, aux tempêtes du parterre, et surtout (car qu'importe une chute?) aux tracasseries misérables de la coulisse; d'être entré dans cette atmosphère variable, brumeuse, orageuse, où dogmatise l'ignorance, où siffle l'envie, où rampent les cabales, où la probité du talent a si souvent été méconnue, où la noble candeur du génie est quelquefois si déplacée, où la médiocrité triomphe de rabaisser à son niveau les supériorités qui l'offusquent, où l'on trouve tant de petits hommes pour un grand, tant de nullités pour un Talma[300], tant de myrmidons pour un Achille[301]! Cette esquisse semblera peut-être morose et peu flattée; mais n'achève-t-elle pas de marquer la différence qui sépare notre théâtre, lieu d'intrigues et de tumultes, de la solennelle sérénité du théâtre antique[302]? **(110)**

Quoi qu'il advienne, il croit devoir avertir d'avance le petit nombre de personnes qu'un pareil spectacle tenterait, qu'une pièce extraite de *Cromwell* n'occuperait toujours pas moins de la durée d'une représentation. Il est difficile qu'un théâtre *romantique* s'établisse autrement[303]. Certes, si l'on veut autre chose que ces tragédies dans lesquelles un ou deux personnages, types abstraits d'une idée purement métaphysique, se promènent

---

300. *Talma :* grand tragédien français (1763-1826), qui s'efforça d'introduire plu de naturel dans le jeu et la diction, plus d'exactitude dans le décor et les costumes Il aurait, d'après *Victor Hugo raconté par un témoin de sa vie*, encouragé le jeun poète à achever *Cromwell;* **301.** *Achille* est, dans les légendes antiques, le roi de Myrmidons. Hugo se souvient peut-être d'une chanson de Béranger : « Voyan qu'Achille succombe, / Ses Myrmidons, hors des rangs, / Disent : dansons sur s tombe; / Les petits vont être grands » (*les Myrmidons ou les Funérailles d'Achille* 1819); **302.** Tout ce paragraphe a été ajouté en marge; **303.** Phrase ajoutée en interligne

QUESTIONS

110. Hugo souhaite-t-il sincèrement ne pas se trouver mêlé aux *agitations de ce monde?* Son attitude avant la *Préface* permet-elle d'accorde le moindre crédit à son affirmation? Son comportement ultérieur confir mera-t-il ou infirmera-t-il votre première impression à ce sujet? — Com ment vous apparaissent, à travers ce passage, les milieux théâtraux d XIXe siècle? L'image que nous en donne Hugo vous semble-t-elle justifiée Disposez-vous d'autres témoignages contemporains pour appuyer votr opinion?

Phot. Bulloz.

Illustration de Tony Johannot pour le drame de Hugo
(acte III, scène XVI).

solennellement sur un fond sans profondeur, à peine occupé par quelques têtes de confidents, pâles contre-calques des héros, chargés de remplir les vides d'une action simple, uniforme et monocorde; si l'on s'ennuie de cela, ce n'est pas trop d'une soirée entière pour dérouler un peu largement tout un homme d'élite, toute une époque de crise[304]; l'un avec son caractère, son génie qui s'accouple à son caractère, ses croyances qui les dominent tous deux, ses passions qui viennent déranger ses croyances, son caractère et son génie, ses goûts qui déteignent sur ses passions, ses habitudes qui disciplinent ses goûts, musèlent ses passions, et ce cortège innombrable d'hommes de tout échantillon que ces divers agents font tourbillonner autour de lui; l'autre, avec ses mœurs, ses lois, ses modes, son esprit, ses lumières, ses superstitions, ses événements, et son peuple que toutes ces causes premières pétrissent tour à tour comme une cire molle. On conçoit qu'un pareil tableau sera gigantesque. Au lieu d'une individualité, comme celle dont le drame abstrait de la vieille école se contente, on en aura vingt, quarante, cinquante, que sais-je? de tout relief et de toute proportion[305]. Il y aura foule dans le drame. Ne serait-il pas mesquin de lui mesurer deux heures de durée pour donner le reste de la représentation à l'opéra-comique ou à la farce? d'étriquer Shakespeare pour Bobèche[306]? — Et qu'on ne pense pas, si l'action est bien gouvernée, que de la multitude des figures qu'elle met en jeu puisse résulter fatigue pour le spectateur ou papillotage dans le drame. Shakespeare, abondant en petits détails, est en même temps, et à cause de cela même, imposant par un grand ensemble. C'est le chêne qui jette une ombre immense avec des milliers de feuilles exiguës et découpées. **(111)**

Espérons qu'on ne tardera pas à s'habituer en France à consacrer toute une soirée à une seule pièce. Il y a en Angleterre et en Allemagne des drames qui durent six heures. Les

---

304. La *Jeanne Shore* de Lemercier, ayant exigé trois heures et demie de représentation, s'était attiré, dans les *Débats* du 3 mai 1824, la critique suivante : « Les tragédies de Racine et de Voltaire ne durent jamais plus de deux heures, deux heures et un quart; et quelque belle que soit la versification de M. Lemercier, il n'est pas encore démontré que le plaisir que l'on éprouve à l'entendre soit dans la proportion de trois et demi à deux »; **305.** Phrase ajoutée en marge; **306.** *Bobèche :* pitre célèbre sous le premier Empire et la Restauration (1791-1840).

QUESTIONS

Question 111, v. p. 107.

Grecs, dont on nous parle tant, les Grecs, et à la façon de Scudéry nous invoquons ici le classique Dacier[307], chapitre VII de sa *Poétique*, les Grecs allaient parfois jusqu'à se faire représenter douze ou seize pièces par jour[308]. Chez un peuple ami des spectacles, l'attention est plus *vivace* qu'on ne croit. *Le Mariage de Figaro*, ce nœud de la grande trilogie de Beaumarchais, remplit toute la soirée, et qui a-t-il jamais ennuyé ou fatigué? Beaumarchais était digne de hasarder le premier pas vers ce but de l'art moderne, auquel il est impossible de faire, avec deux heures, germer ce profond, cet invincible intérêt qui résulte d'une action vaste, vraie et multiforme. Mais, dit-on, ce spectacle, composé d'une seule pièce, serait monotone et paraîtrait long. Erreur! Il perdrait au contraire sa longueur et sa monotonie actuelles. Que fait-on en effet maintenant? On divise les jouissances du spectateur en deux parts bien tranchées. On lui donne d'abord deux heures de plaisir sérieux, puis une heure de plaisir folâtre; avec l'heure d'entr'actes que nous ne comptons pas dans le plaisir, en tout quatre heures. Que ferait le drame romantique? Il broierait et mêlerait artistement ces deux espèces de plaisir. Il ferait passer à chaque instant l'auditoire du sérieux au rire, des excitations bouffonnes aux émotions déchirantes, *du grave au doux, du plaisant au sévère*[309]. Car, ainsi que nous l'avons déjà établi, le drame, c'est le grotesque avec le sublime, l'âme sous le corps, c'est une tragédie sous une comédie. Ne voit-on pas que, vous reposant ainsi d'une impression par une autre, aiguisant tour à tour

---

307. *Dacier* : philologue français (1651-1722), traducteur de la *Poétique* d'Aristote, des *Dialogues* de Platon, des *Vies* de Plutarque, etc.; **308.** Le fait est très contesté. Hugo, pour les besoins de la cause, se montre beaucoup plus affirmatif que ne le permet la stricte équité; **309.** Réminiscence probable de Boileau (*l'Art poétique*, I, 75-76) : « Heureux qui, dans ses vers, sait d'une voix légère, / Passer du grave au doux, du plaisant au sévère! »

QUESTIONS

111. Que nous apprend ce passage sur l'organisation des représentations théâtrales au siècle passé? L'une de nos salles parisiennes n'a-t-elle pas conservé ces habitudes? — Quelle expression nous donne à penser qu'Hugo songe ici à une préface célèbre de Racine? Laquelle? La critique adressée par le jeune romantique au grand classique vous paraît-elle justifiée? Les personnages raciniens ne sont-ils pas autre chose que les *types abstraits d'une idée purement métaphysique?* Montrez, au moyen d'exemples précis, que le jugement de l'auteur de la *Préface* demande à être sensiblement nuancé. — La conception du drame qui nous est présentée ici vous semble-t-elle cohérente? Dans quelle mesure est-elle réalisable? A quelles difficultés risque-t-elle de se heurter?

le tragique sur le comique, le gai sur le terrible, s'associant même au besoin les fascinations de l'opéra, ces représentations, tout en n'offrant qu'une pièce, en vaudraient bien d'autres? La scène romantique ferait un mets piquant, varié, savoureux, de ce qui sur le théâtre classique est une médecine divisée en deux pilules. **(112)**

[Pour une critique nouvelle.]

Voici que l'auteur de ce livre a bientôt épuisé ce qu'il avait à dire au lecteur. Il ignore comment la critique accueillera et ce drame, et ces idées sommaires, dégarnies de leurs corollaires, appauvries de leurs ramifications, ramassées en courant et dans la hâte d'en finir. Sans doute elles paraîtront aux « disciples de La Harpe » bien effrontées et bien étranges. Mais si, par aventure, toutes nues et tout amoindries qu'elles sont, elles pouvaient contribuer à mettre sur la route du vrai ce public dont l'éducation est déjà si avancée, et que tant de remarquables écrits, de critique ou d'application, livres ou journaux, ont déjà mûri pour l'art, qu'il suive cette impulsion sans s'occuper si elle lui vient d'un homme ignoré, d'une voix sans autorité, d'un ouvrage de peu de valeur. C'est une cloche de cuivre qui appelle les populations au vrai temple et au vrai Dieu. **(113)**

Il y a aujourd'hui l'ancien régime littéraire comme l'ancien régime politique. Le dernier siècle pèse encore presque de tout point sur le nouveau. Il l'opprime notamment dans la critique.

QUESTIONS

112. En quoi le choix de l'exemple de Beaumarchais est-il significatif? Quel rôle a joué l'auteur du *Mariage de Figaro* dans l'évolution du théâtre au XVIIIe siècle? Ne peut-il pas, d'un certain point de vue, être considéré comme un précurseur du drame romantique? — Une soirée comportant une seule représentation vous paraît-elle préférable à une soirée en comportant deux, l'une tragique, l'autre comique? Les arguments proposés par Hugo en faveur de la première solution sont-ils déterminants? — La définition du drame comme *une tragédie sous une comédie* vous semble-t-elle satisfaisante? S'applique-t-elle à *Cromwell?* à *Hernani?* à *Ruy Blas?* Les pièces des autres dramaturges romantiques (Dumas, Vigny, Musset) seront-elles conformes à cette conception? Que concluez-vous de vos réponses à ces différentes questions?

113. Quelle attitude Hugo adopte-t-il face à la critique? Quelles précautions prend-il à l'égard des classiques? Comment cherche-t-il à s'assurer l'appui des romantiques? — Que signifie la dernière phrase du paragraphe? L'argument qu'elle contient vous semble-t-il acceptable?

Vous trouvez, par exemple, des hommes vivants qui vous répètent cette définition du goût échappée à Voltaire : « Le goût n'est autre chose pour la poésie que ce qu'il est pour les ajustements des femmes[310]. » Ainsi, le goût, c'est la coquetterie[311]. Paroles remarquables qui peignent à merveille cette poésie fardée, mouchetée, poudrée, du dix-huitième siècle, cette littérature à paniers, à pompons et à falbalas. Elles offrent un admirable résumé d'une époque avec laquelle les plus hauts génies n'ont pu être en contact sans devenir petits, du moins par un côté, d'un temps où Montesquieu a pu et dû faire *le Temple de Gnide*, Voltaire *le Temple du Goût*, Jean-Jacques *le Devin du Village*. **(114)**

Le goût, c'est la raison du génie. Voilà ce qu'établira bientôt une autre critique, une critique forte, franche, savante, une critique du siècle qui commence à pousser des jets vigoureux sous les vieilles branches desséchées de l'ancienne école. Cette jeune critique, aussi grave que l'autre est frivole, aussi érudite que l'autre est ignorante, s'est déjà créé des organes écoutés, et l'on est quelquefois surpris de trouver dans les feuilles les plus légères d'excellents articles émanés d'elle[312]. C'est elle qui, s'unissant à tout ce qu'il y a de supérieur et de courageux dans les lettres, nous délivrera de deux fléaux : le *classicisme* caduc, et le faux *romantisme*, qui ose poindre aux pieds du vrai. Car le génie moderne a déjà son ombre, sa contre-épreuve, son parasite, son *classique*, qui se grime sur lui, se vernit de ses couleurs, prend sa livrée, ramasse ses miettes, et semblable à l'*élève du sorcier*[313], met en jeu, avec des mots retenus de mémoire, des éléments d'action dont il n'a pas le secret. Aussi fait-il des sottises que son maître a mainte fois beaucoup de

310. Cette prétendue citation semble être un résumé de la théorie exposée dans le premier chapitre de l'*Essai sur la poésie épique ;* **311.** Hugo a déjà exprimé cette idée dans *la Muse française* de décembre 1823 : « Sa muse, qui eût été si belle de sa beauté, emprunta souvent ses prestiges aux enluminures du fard et aux grimaces de la coquetterie »; **312.** Allusion aux journaux qui publiaient les articles de la jeune critique romantique (*le Corsaire*, *le Masque de fer*, *la Pandore*, *le Sylphe*, etc.); **313.** Souvenir de la ballade de Goethe : *l'Apprenti sorcier* (1797).

QUESTIONS

114. Comment interprétez-vous le parallèle esquissé par Hugo entre la politique et la littérature? L'appartenance au romantisme impliquait-elle nécessairement l'adhésion aux thèses libérales? Quelle est, dans ce domaine, l'importance de l'année 1827? — L'opinion de l'auteur de la *Préface* sur la poésie du XVIIIe siècle vous paraît-elle fondée?

peine à réparer. Mais ce qu'il faut détruire avant tout, c'est le vieux faux goût. Il faut en dérouiller la littérature actuelle. C'est en vain qu'il la ronge et la ternit. Il parle à une génération jeune[314], sévère, puissante, qui ne le comprend pas. La queue du dix-huitième siècle traîne encore dans le dix-neuvième; mais ce n'est pas nous, jeunes hommes qui avons vu Bonaparte, qui la lui porterons[315]. **(115)**

Nous touchons donc au moment de voir la critique nouvelle prévaloir, assise, elle aussi, sur une base large, solide et profonde. On comprendra bientôt généralement que les écrivains doivent être jugés, non d'après les règles et les genres, choses qui sont hors de la nature et hors de l'art, mais d'après les principes immuables de cet art et les lois spéciales de leur organisation personnelle. La raison de tous aura honte de cette critique qui a roué vif Pierre Corneille, bâillonné Jean Racine, et qui n'a risiblement réhabilité John Milton qu'en vertu du code épique du père le Bossu[316]. On consentira, pour se rendre compte d'un ouvrage, à se placer au point de vue de l'auteur, à regarder le sujet avec ses yeux. On quittera, et c'est M. de Chateaubriand qui parle ici, *la critique mesquine des défauts pour la grande et féconde critique des beautés*[317]. Il est temps

---

314. Gautier *(Histoire du romantisme)* insistera également sur la jeunesse de cette génération : « Dans l'armée romantique comme dans l'armée d'Italie, tout le monde était jeune. Les soldats, pour la plupart, n'avaient pas atteint leur majorité, et le plus vieux de la bande était le général en chef, âgé de vingt-huit ans. C'était l'âge de Bonaparte et de V. Hugo à cette date »; **315.** Hugo écrivait déjà, en 1823, dans *la Muse française :* « Le dix-huitième siècle paraîtra toujours dans l'histoire comme étouffé entre le siècle qui le précède et le siècle qui le suit »; **316.** Phrase ajoutée en marge. Chanoine régulier de Sainte-Geneviève, le R. P. *Le Bossu* (1631-1680) est l'auteur d'un *Traité du poème épique* (1675); **317.** « Ne serait-il pas à craindre que cette sévérité continuelle de nos jugements ne nous fît contracter une habitude d'humeur dont il deviendrait malaisé de nous débarrasser ensuite? Le seul moyen d'empêcher que cette humeur prenne sur nous trop d'empire serait peut-être d'abandonner la petite et facile critique des *défauts* pour la grande et difficile critique des *beautés* » (Chateaubriand, févr. 1819, à propos des *Annales littéraires* de Dussault).

QUESTIONS

115. Quels sont les principaux représentants de la *jeune critique* dont il est fait état ici? Par quels écrits se sont-ils déjà fait connaître? Certaines de leurs idées ne sont-elles pas passées dans la *Préface?* — A quoi le goût des oppositions tranchées entraîne-t-il Hugo? Peut-on légitimement qualifier la critique classique de *frivole* et *d'ignorante?* — Qui Hugo cherche-t-il à stigmatiser en dénonçant le *faux romantisme?* Quel but poursuit-il en se livrant à cette attaque? Cette objectivité relative renforce-t-elle sa position en face des classiques? l'affaiblit-elle devant les romantiques?

que tous les bons esprits saisissent le fil qui lie fréquemment ce que, selon notre caprice particulier, nous appelons *défaut* à ce que nous appelons *beauté*. Les défauts, du moins ce que nous nommons ainsi, sont souvent la condition native, nécessaire, fatale, des qualités.

Scit genius, natale comes qui temperat astrum[318]. **(116)**

Où voit-on médaille qui n'ait son revers? talent qui n'apporte son ombre avec sa lumière, sa fumée avec sa flamme? Telle tache peut n'être que la conséquence indivisible de telle beauté. Cette touche heurtée, qui me choque de près, complète l'effet et donne la saillie à l'ensemble. Effacez l'une, vous effacez l'autre. L'originalité se compose de tout cela. Le génie est nécessairement inégal. Il n'est pas de hautes montagnes sans profonds précipices. Comblez la vallée avec le mont, vous n'aurez plus qu'un steppe[319], une lande, la plaine des Sablons[320] au lieu des Alpes[321], des alouettes et non des aigles. **(117)**

Il faut aussi faire la part du temps, du climat, des influences locales. La Bible, Homère, nous blessent quelquefois par leurs sublimités mêmes. Qui voudrait y retrancher un mot? Notre infirmité s'effarouche souvent des hardiesses inspirées du génie,

---

318. Horace, *Epîtres*, II, ɪɪ, 187 : « Le génie la connaît, compagnon qui modère l'influence de son astre natal. » (Il s'agit, dans le contexte, de la cause des différences de caractères.); **319.** *Steppe :* ce mot est habituellement féminin depuis le début du siècle; **320.** La plaine des *Sablons* (entre les Ternes, Neuilly et Villiers) avait servi de terrain de manœuvres aux troupes cantonnées à Paris; **321.** Hugo a visité les Alpes en 1825, en compagnie de Taylor et Nodier. Il a rédigé, à cette occasion, son *Fragment d'un voyage aux Alpes* (publié dans *Victor Hugo raconté par un témoin de sa vie*).

QUESTIONS

116. Le rôle de la critique tel qu'il est exposé ici vous paraît-il acceptable? Est-il légitime de juger une œuvre indépendamment du genre dont elle relève et des règles qui le régissent? Quels avantages et quels inconvénients comporte, selon vous, le fait d'étudier un ouvrage en se plaçant *au point de vue de l'auteur?* En quoi consisteront les différences entre la critique *des beautés* et celle *des défauts?* — Pourquoi Hugo se recommande-t-il de l'autorité de Chateaubriand? Quels sont ses sentiments pour son grand devancier? Que doit la *Préface* à l'auteur du *Génie du christianisme?*

117. Que veut faire entendre Hugo par ces réflexions imagées? Dans quelle mesure les défauts sont-ils le revers des qualités? Leur coexistence est-elle indispensable? Vous semble-t-elle un facteur d'équilibre? N'est-ce pas son propre génie que l'écrivain décrit ici?

faute de pouvoir s'abattre sur les objets avec une aussi vaste intelligence. Et puis, encore une fois, il y a de ces *fautes* qui ne prennent racine que dans les chefs-d'œuvre; il n'est donné qu'à certains génies d'avoir certains défauts. On reproche à Shakespeare l'abus de la métaphysique, l'abus de l'esprit, des scènes parasites, des obscénités, l'emploi des friperies mythologiques de mode dans son temps, de l'extravagance, de l'obscurité, du mauvais goût, de l'enflure, des aspérités de style. Le chêne, cet arbre géant que nous comparions tout à l'heure à Shakespeare et qui a plus d'une analogie avec lui, le chêne a le port bizarre, les rameaux noueux, le feuillage sombre, l'écorce âpre et rude; mais il est le chêne[322].

Et c'est à cause de cela qu'il est le chêne. Que si vous voulez une tige lisse, des branches droites, des feuilles de satin, adressez-vous au pâle bouleau, au sureau creux, au saule pleureur; mais laissez en paix le grand chêne. Ne lapidez pas qui vous ombrage. **(118)**

L'auteur de ce livre connaît autant que personne les nombreux et grossiers défauts de ses ouvrages. S'il lui arrive trop rarement de les corriger, c'est qu'il répugne à revenir après coup sur une chose faite. Il ignore cet art de souder une beauté à la place d'une tache, et il n'a jamais pu rappeler l'inspiration sur une œuvre refroidie[323]. Qu'a-t-il fait d'ailleurs qui vaille cette peine? Le travail qu'il perdrait à effacer les imperfections de ses livres, il aime mieux l'employer à dépouiller son esprit de ses défauts. C'est sa méthode de ne corriger un ouvrage que dans un autre ouvrage.

Au demeurant, de quelque façon que son livre soit traité, il prend ici l'engagement de ne le défendre ni en tout ni en partie. Si son drame est mauvais, que sert de le soutenir? S'il est bon,

---

322. Hugo reviendra sur cette idée dans son *William Shakespeare* (1864); **323.** « Voici encore une contravention de l'auteur aux lois de Despréaux. Ce n'est point sa faute s'il ne se soumet point aux articles : *Vingt fois sur le métier*, etc., *Polissez-le sans cesse*, etc. Nul n'est responsable de ses infirmités ou de ses impuissances [...] » *(note de Victor Hugo)*.

QUESTIONS

118. L'opinion de l'auteur vous paraît-elle entièrement justifiée? Est-il inconcevable qu'un écrivain de génie cherche à corriger les défauts de ses œuvres? En perdrait-il pour autant les qualités qui le désignent à l'attention du public? La comparaison utilisée par Hugo ne lui permet-elle pas, dans une certaine mesure, d'éluder la question?

pourquoi le défendre? Le temps fera justice du livre, ou la lui rendra. Le succès du moment n'est que l'affaire du libraire. Si donc la colère de la critique s'éveille à la publication de cet essai, il la laissera faire. Que lui répondrait-il? Il n'est pas de ceux qui parlent, ainsi que le dit le poëte castillan, *par la bouche de leur blessure*,

Por la boca de su harida[324]. **(119)**

Un dernier mot. On a pu remarquer que dans cette course un peu longue à travers tant de questions diverses, l'auteur s'est généralement abstenu d'étayer son opinion personnelle sur des textes, des citations, des autorités. Ce n'est pas cependant qu'elles lui eussent fait faute. — « Si le poëte établit des choses impossibles selon les règles de son art, il commet une faute sans contredit; mais elle cesse d'être faute, lorsque par ce moyen il arrive à la fin qu'il s'est proposée; car il a trouvé ce qu'il cherchait[325]. » — « Ils prennent pour galimatias tout ce que la faiblesse de leurs lumières ne leur permet pas de comprendre. Ils traitent surtout de ridicules ces endroits merveilleux où le poëte, afin de mieux entrer dans la raison, sort, s'il faut ainsi parler, de la raison même. Ce précepte effectivement, qui donne pour règle de ne point garder quelquefois de règles, est un mystère de l'art qu'il n'est pas aisé de faire entendre à des hommes sans aucun goût... et qu'une espèce de bizarrerie d'esprit rend insensibles à ce qui frappe ordinairement les hommes[326]. » — Qui dit cela? c'est Aristote. Qui dit ceci? c'est Boileau. On voit à ce seul échantillon que l'auteur de ce drame aurait pu comme un autre se cuirasser de noms propres et se réfugier derrière des réputations. Mais il a voulu laisser ce mode d'argumentation à ceux qui le croient invincible,

324. « Par la bouche de sa blessure ». La citation est empruntée à Guilhem de Castro (*Las Mocedades del Cid*, II, I); **325.** Aristote, *Poétique*, XXV; **326.** Boileau, *Discours sur l'ode*. Hugo fausse la pensée de l'auteur en donnant une portée générale à un texte qui ne visait que le seul Perrault.

QUESTIONS

119. Le poète n'a-t-il encore jamais daigné retoucher ses écrits? Est-il besoin de *rappeler l'inspiration sur une œuvre refroidie* pour en faire disparaître les imperfections? Comment interprétez-vous l'attitude adoptée ici par notre auteur? Le fondateur du *Conservateur littéraire* n'a-t-il pas employé son journal à la défense de ses livres? Ne lui arrivera-t-il pas, de nouveau, de répondre aux accusations dont il est l'objet? A quelles occasions?

universel et souverain. Quant à lui, il préfère des raisons à des autorités; il a toujours mieux aimé des armes que des armoiries. **(120) (121)**

Octobre 1827[327].

327. Hugo aurait, d'après son manuscrit, entrepris la rédaction de sa *Préface* le 30 septembre 1827.

QUESTIONS

120. Pourquoi Hugo termine-t-il son manifeste sur ces références à Aristote et à Boileau? N'y a-t-il pas, dans cette boutade finale, un avertissement implicite aux critiques classiques dont il prévoit la réaction défavorable? — L'auteur s'est-il, dans l'ensemble de sa *Préface*, conformé aux principes dont il se réclame ici? Ne s'est-il jamais réfugié *derrière des réputations?* A-t-il toujours préféré des raisons à des autorités?

121. SUR L'ENSEMBLE DU PASSAGE RELATIF À LA PRÉSENTATION À LA CRITIQUE. — Comment Hugo, sous prétexte de présenter son drame, en arrive-t-il à aborder des problèmes généraux? En quoi le choix du personnage de Cromwell soulève-t-il la question de la réforme du genre théâtral?

— Pourquoi la *Préface* fait-elle appel à une critique nouvelle? Cette initiative vous paraît-elle surprenante? N'est-elle pas étroitement liée au programme de réforme littéraire que se propose d'appliquer l'auteur? Les caractéristiques de la critique romantique seront-elles celles qui se trouvent énoncées ici?

— Quelles sont, dans cette dernière partie, les qualités du polémiste? Comment cherche-t-il à embarrasser la critique classique? Par quels procédés parvient-il à donner l'illusion de l'objectivité? Quelle attitude adopte-t-il pour se ménager les autres écrivains romantiques? Le comportement du futur chef d'école ne se laisse-t-il pas déjà deviner à certains détails? Lesquels?

— Quelle idée vous faites-vous du caractère du jeune Hugo d'après ce passage?

DOCUMENTATION THÉMATIQUE

réunie par la Rédaction des Nouveaux Classiques Larousse

LA THÉORIE DU DRAME ROMANTIQUE

0. Situation de la *Préface de « Cromwell »* :
   - 0.1. Genèse;
   - 0.2. Succès du texte.

1. Pourquoi un genre nouveau?
   - 1.1. Le plaidoyer de Vigny;
   - 1.2. Le drame historique et ses conséquences.

2. L'influence étrangère :
   - 2.1. L'Allemagne;
   - 2.2. L'Angleterre.

3. Un théâtre fondé sur l'histoire moderne :
   - 3.1. L'histoire et ses conséquences;
   - 3.2. Grandeur et vérité.

4. Les conséquences formelles :
   - 4.1. Le rejet des unités;
   - 4.2. Vers ou prose?

5. Le problème de la moralité du théâtre :
   - 5.1. V. Hugo, *Préface de « Lucrèce Borgia »;*
   - 5.2. V. Hugo, *Préface d'« Angelo ».*

0. SITUATION DE LA PRÉFACE DE « CROMWELL »

0.1. GENÈSE

La réponse de Victor Hugo au compte rendu malveillant donné des *Nouvelles Odes* par Hoffman, dans le *Journal des débats* du 14 juin 1824, est un texte essentiel à la compréhension de la genèse de la *Préface de « Cromwell »* (voir Notice, p. 17). Nous en reproduisons, ci-dessous, un passage particulièrement caractéristique.

> Vous avez choisi, monsieur, pour rendre votre démonstration plus sensible, quelques expressions qui vous paraissent caractériser essentiellement le genre *romantique*, et c'est à moi que vous avez fait l'honneur de les emprunter. Ayant depuis assez longtemps ces *Nouvelles Odes* entre les mains, je dois supposer que vous n'avez pas pris vos exemples au hasard, et que les locutions que vous citez sont celles qui vous ont paru représenter plus fidèlement les défauts particuliers à l'école nouvelle. Or, monsieur, si ces locutions, qui vous semblent spécialement *romantiques*, ont par hasard une foule de types et d'équivalents chez les auteurs classiques, ne faudra-t-il pas en conclure que la différence que vous avez voulu établir par des exemples entre les deux genres n'est pas moins illusoire que celle que vous avez indiquée par des raisonnements aussi spirituels qu'erronés? C'est ce que nous allons examiner. Selon vous, « les anciens et les grands écrivains modernes ont toujours parlé aux sens pour mieux émouvoir l'esprit. Ils ne nous ont pas montré des robes de vapeur... ». Je vous arrête ici, monsieur : Horace nous représente Apollon
>
> *Nube candentes humeros amictus.*
>
> Or, quand on est revêtu *d'un nuage*, ne porte-t-on pas une *robe de vapeur?* — « Ils n'ont pas, continuez-vous, donné à un dieu le *mystère* pour *vêtement*. » Je ne vous dirai pas que cette expression est littéralement empruntée à la Bible. La Bible n'est-elle pas un peu *romantique?* Mais je vous demanderai en quoi cette locution vous semble vicieuse. C'est, me direz-vous, parce qu'une idée abstraite, le *mystère*, y est immédiatement associée à une image physique, *le vêtement*. Eh bien! monsieur, ce genre d'alliance de mots, qui vous paraît si exclusivement *romantique*, se retrouve à chaque instant chez « les anciens et les grands écrivains modernes ». Virgile, dans sa belle peinture de l'*Antre*

des Cyclopes, nous représente les compagnons de Vulcain occupés à mêler, pour forger la foudre, *trois rayons de pluie* et le BRUIT, *trois rayons de flamme* et la PEUR. Voilà certainement une singulière fusion de réalités et d'abstractions, et ce n'est certainement pas du *Baal romantique* que les cyclopes de Virgile tiennent le secret de cette composition, où il n'entre pas moins d'éléments métaphysiques que d'éléments chimiques. Horace nous montre également Pallas apprêtant tout à la fois son *casque*, son *égide*, son *char* et sa *rage... currusque et RABIEM parat* (*Odes*, XV, liv. I). Ailleurs, il charge *les vents de* PORTER dans la mer de Crète *(Creticum mare)* ses CRAINTES et sa TRISTESSE (TRISTITIAM *et* METUS). Ici, il engage ses amis à *chasser* leurs SOUCIS par le *vin*, *vino pellite CURAS*, et de cette *romantique* alliance de mots est né le vieux proverbe, *noyer ses CHAGRINS dans la bouteille*. Plus loin, c'est Vénus plaçant sous des *jougs d'airain (juga ahenea)* des *ESPRITS inégaux (impares animos)*; ou les COLÈRES *(tristes IRAE) frappant l'airain avec plus de fureur que ne le frappent les corybantes*. Les exemples de ces sortes d'alliance de mots se présenteront en foule chez les classiques, monsieur. Toutefois, resserré par l'espace, je ne veux plus citer que quelques exemples décisifs. Vous affirmez que les classiques, soigneux de ne jamais lier les abstractions aux réalités, n'auraient pas donné à un dieu le *mystère* pour *vêtement;* mais, monsieur, ils ont donné la JUSTICE et la VÉRITÉ pour *fondement* à son *trône* (J.-B. Rousseau, *Ode* XI, liv. I), et par conséquent ils ont appuyé une réalité, le *trône*, sur deux abstractions, la *justice* et la *vérité*. Autres exemples : Horace a dit (*Odes*, XXIX, liv. III) :

VIRTUTE me involvo mea (je m'*enveloppe* de ma VERTU).

Jean-Baptiste a dit (liv. VI, ode X) :

Pour souverain mérite on ne demande aux hommes
Qu'un vice complaisant de GRACE *revêtu*.

Or, monsieur, quand Horace fait de la vertu une *enveloppe*, et Rousseau, des GRACES un *vêtement*, n'emploie-t-on pas précisément la même figure, en appliquant la même expression au MYSTÈRE, qui est une abstraction comme les mots *grâce* et *vertu?* (*Journal des débats*, 26 juillet 1824. Cité par Edmond Biré, *Victor Hugo avant 1830*, pp. 369-371.)

0.2. SUCCÈS DU TEXTE

§ On confrontera avec les jugements les textes suivants.

Th. Gautier écrit dans *Histoire du romantisme* en 1872 :

La Préface de *Cromwell* rayonnait à nos yeux comme les Tables de la Loi sur le Sinaï, et ses arguments nous semblaient sans réplique.

La Gazette de France marque son hostilité :

> Son but avoué est de briser tous « ces fils d'araignées dont les milices de Lilliput ont entrepris d'enchaîner le drame dans son sommeil »; c'est-à-dire, en français, de se rendre indépendant des trois unités. Nous pourrions faire remarquer à l'auteur de cette phrase que, dans cette milice de Lilliput, il y a quelques nains qui ne sont pas si méprisables, et, entre autres, tous les hommes qui ont écrit pour la scène depuis *le Cid* jusqu'à *Cromwell*, mais que seraient-ils, ces hommes, pour lui qui appelle Shakespeare (dont il ne sait même pas écrire le nom) le dieu du théâtre?... [...] Ces bizarreries, qui n'ont rien de sérieux au fond, ont même un côté plaisant dont on s'amuserait si elles étaient présentées avec talent; il faut être doué de quelque force pour s'attaquer à des géants, et, lorsqu'on entreprend de détrôner des écrivains que des générations tout entières sont convenues d'admirer, il faudrait les combattre avec des armes, sinon égales, du moins dans un style assez élégant et assez pur pour montrer qu'on les comprend, et que ce n'est pas uniquement par impuissance qu'on s'attaque à eux; mais quel tort peut-on espérer leur faire quand on écrit comme l'auteur de la préface dont nous parlons?

Charles Rémusat, dans *le Globe* (2 février 1828), affirme :

> *Cromwell* est l'expression fidèle du système dramatique de l'auteur. On doit donc y retrouver réunis le pathétique et le grotesque, le noble langage et le ton familier, un effort constant de retracer les mœurs et les caractères historiques, peu de scrupules en fait de vraisemblance et une grande recherche de vérité, enfin tous les genres de style encadrés dans les formes d'une savante versification. Tout cela s'y rencontre en effet, et non sans beauté.

Enfin Soumet, auteur de plusieurs tragédies, rallié au romantisme, écrit à Hugo :

> Je lis et je relis sans cesse votre *Cromwell*, cher et illustre Victor, tant il me paraît rempli des beautés les plus neuves et les plus hardies; quoique dans votre *Préface* vous nous traitiez de mousses et de lierres rampants, je n'en rendrai pas moins justice à votre admirable talent et je parlerai de votre œuvre michel-angelesque comme je parlai autrefois de vos *Odes*.

1. POURQUOI UN GENRE NOUVEAU ?

1.1. LE PLAIDOYER DE VIGNY

Dans sa *Lettre à lord*** sur la soirée du 24 octobre 1829 et sur un système dramatique (1829)*, Vigny revient sur la première du *More de Venise*, son adaptation de Shakespeare, et analyse la situation du théâtre : critique de l'ancien système, esquisse des traits essentiels d'un genre nouveau. Voici un extrait de cette *Lettre*.

> Considérez d'abord que, dans le système qui vient de s'éteindre, toute tragédie était une catastrophe et un dénouement d'une action déjà mûre au lever du rideau, qui ne tenait plus qu'à un fil et n'avait plus qu'à tomber. De là est venu ce défaut qui vous frappe, ainsi que tous les étrangers dans les tragédies françaises; cette parcimonie de scènes et de développements, ces faux retardements, et puis tout à coup cette hâte d'en finir, mêlée à cette crainte que l'on sent presque partout de manquer d'étoffe pour remplir le cadre de cinq actes. Loin de diminuer mon estime pour tous les hommes qui ont suivi ce système, cette considération l'augmente; car il a fallu, à chaque tragédie, une sorte de tour d'adresse prodigieux, et une foule de ruses pour déguiser la misère à laquelle ils se condamnaient; c'était chercher à employer et à étendre pour se couvrir le dernier lambeau d'une pourpre gaspillée et perdue.
>
> Ce ne sera plus ainsi qu'à l'avenir procédera le poète dramatique. D'abord il prendra dans sa large main beaucoup de temps, et y fera mouvoir des existences entières; il créera l'homme, non comme *espèce*, mais comme *individu* (seul moyen d'intéresser à l'humanité); il laissera ses créatures vivre de leur propre vie, et jettera seulement dans leurs cœurs ces germes de passions par où se préparent les grands événements; puis, lorsque l'heure en sera venue et seulement alors, sans que l'on sente que son doigt la hâte, il montrera la destinée enveloppant ses victimes dans des nœuds aussi larges, aussi multipliés, aussi inextricables que ceux où se tordent Laocoon et ses deux fils. Alors, bien loin de trouver des personnages trop petits pour l'espace, il gémira, il s'écriera qu'ils manquent d'air et de place; car l'art sera tout semblable à la vie, et dans la vie une action principale entraîne autour d'elle un tourbillon de faits nécessaires et innombrables. Alors le créateur trouvera dans ses personnages assez de têtes pour répandre toutes ses idées, assez de cœurs à faire battre de tous ses sentiments, et partout on sentira son âme entière agitant la masse. *Mens agitat molem.*
>
> Je suis juste. Tout était bien en harmonie dans l'ex-système de tragédie; mais tout était d'accord aussi dans le système féodal et théocratique, et pourtant, il fut. Pour exécuter une longue

catastrophe qui n'avait de corps que parce qu'elle était enflée, il fallait substituer des rôles aux caractères, des abstractions de passions personnifiées à des hommes; or, la nature n'a jamais produit une famille d'hommes, une maison entière dans le sens des anciens *(domus)*, où père et enfants, maître et serviteurs se soient trouvés également sensibles, agités au même degré par le même événement, s'y jetant à corps perdu, prenant au sérieux et de bonne foi toutes les surprises et les pièges les plus grossiers et en éprouvant une satisfaction solennelle, une douleur solennelle, ou une fureur solennelle; conservant précieusement le sentiment unique qui les anime depuis la première phase de l'événement jusqu'à son accomplissement, sans permettre à leur imagination de s'en écarter d'un pas, et s'occupant enfin d'une affaire unique, celle de commencer un dénouement et de le retarder sans pourtant cesser d'en parler.

Donc il fallait, dans des vestibules qui ne menaient à rien, des personnages n'allant nulle part, parlant de peu de chose, avec des idées indécises et des paroles vagues, un peu agités par des sentiments mitigés, des passions paisibles, et arrivant ainsi à une mort gracieuse ou à un soupir faux. Ô vaine fantasmagorie! ombres d'hommes dans une ombre de nature! vides royaumes!... *Inania regna!*

Aussi n'est-ce qu'à force de génie ou de talent que les premiers de chaque époque sont parvenus à jeter de grandes lueurs dans ces ombres, à arrêter de belles formes dans ce chaos; leurs œuvres furent de magnifiques exceptions, on les prit pour des règles. Le reste est tombé dans l'ornière commune de cette fausse route.

1.2. LE DRAME HISTORIQUE ET SES CONSÉQUENCES

Des points de vue esthétique et technique, le drame historique exclut les unités de temps et de lieu, bannit le vers et la langue noble; en revanche, il requiert la couleur locale, un spectacle et donc du pittoresque dans le langage, les costumes et les décors. On cherchera pourquoi et l'on tentera de trouver des exemples justificatifs dans les drames romantiques *(Antony*, *Hernani*, *Lorenzaccio*, *Ruy Blas)*. Voir en 3.1.

2. L'INFLUENCE ÉTRANGÈRE

2.1. L'ALLEMAGNE

Deux auteurs dramatiques attirent alors l'attention, Goethe et Schiller. On analysera ce qui apporte l'exemple du premier à la France, selon Mme de Staël (premier texte), puis, en suivant les passages successifs marqués d'un point, on résumera l'argumentation de B. Constant concernant Schiller.

◆ Mme de Staël, *De l'Allemagne*, II : le *Faust* de Goethe.

Goethe ne s'est astreint, dans cet ouvrage, à aucun genre; ce n'est ni une tragédie ni un roman[328]. L'auteur a voulu abjurer dans cette composition toute manière sobre de penser et d'écrire : on y trouverait quelques rapports avec Aristophane[329], si des traits du pathétique de Shakespeare n'y mêlaient des beautés d'un tout autre genre. Faust étonne, émeut, attendrit; mais il ne laisse pas une douce impression dans l'âme. Quoique la présomption et le vice y soient cruellement punis, on ne sent pas dans cette punition une main bienfaisante, on dirait que le mauvais principe dirige lui-même la vengeance contre le crime qu'il fait commettre; et le remords, tel qu'il est peint dans cette pièce, semble venir de l'enfer aussi bien que la faute.

La croyance aux mauvais esprits se retrouve dans un grand nombre de poésies allemandes[330] : la nature du Nord s'accorde assez bien avec cette terreur; il est donc beaucoup moins ridicule en Allemagne, que cela ne le serait en France, de se servir du diable dans les fictions. A ne considérer toutes ces idées que sous le rapport littéraire, il est certain que notre imagination se figure quelque chose qui répond à l'idée d'un mauvais génie, soit dans le cœur humain, soit dans la nature; l'homme fait quelquefois le mal d'une manière, pour ainsi dire, désintéressée, sans but et même contre son but, et seulement pour satisfaire une certaine âpreté intérieure, qui donne le besoin de nuire. Il y avait à côté des divinités du paganisme d'autres divinités de la race des Titans[331] qui représentaient les forces révoltées de la nature; et dans le christianisme, on dirait que les mauvais penchants de l'âme sont personnifiés sous la forme des démons.
Il est impossible de lire *Faust* sans qu'il excite la pensée de mille manières différentes : on se querelle avec l'auteur, on l'accuse, on le justifie; mais il fait réfléchir sur tout, et, pour emprunter le langage d'un savant naïf du Moyen Age, *sur*

328. Selon l'expression de Lamartine, le *Faust* de Goethe est son *poème vital*. Goethe y a travaillé pendant près de trente ans. C'est en 1808 que parut la première partie du poème de *Faust*, sous le nom de *Faust*, tragédie. En 1832, le *Second Faust* était terminé. La légende de Faust était déjà populaire en Allemagne au XVIe siècle. La vie de Georges Sabillicus dit Faustus Junior, ivrogne et disait-on suppôt de Satan, avait été racontée en 1587 par Spiess et en 1599 par le pasteur Widmann. Le poète anglais Marlowe avait, en 1588, écrit un drame sur Faust; **329.** Dans le *Prologue au ciel;* **330.** Goethe lui-même dans *le Roi des aulnes* (1782) et *le Pêcheur* (1778); **331.** *Titans :* fils du Ciel et de la Terre, ils essayèrent d'escalader le ciel pour en chasser les dieux.

quelque chose de plus que tout[332]. Les critiques dont un tel ouvrage doit être l'objet sont faciles à prévoir, ou plutôt c'est le genre même de cet ouvrage qui peut encourir la censure, plus encore que la manière dont il est traité : car une telle composition doit être jugée comme un rêve; et si le bon goût veillait toujours à la porte d'ivoire des songes pour les obliger à prendre la forme convenue, rarement ils frapperaient l'imagination.

La pièce de Faust cependant n'est certes pas un bon modèle. Soit qu'elle puisse être considérée comme l'œuvre du délire de l'esprit, ou de la satiété de la raison, il est à désirer que de telles productions ne se renouvellent pas; mais quand un génie tel que celui de Goethe s'affranchit de toutes les entraves, la foule de ses pensées est si grande, que de toutes parts elles dépassent et renversent les bornes de l'art.

◆ B. Constant, *De la guerre de Trente Ans*, *De la tragédie de « Wallstein »*, *de Schiller*, *et du théâtre allemand.*

● On conçoit donc sans peine que les poètes de l'Allemagne qui ont voulu transporter sur la scène des époques de leur histoire, aient choisi de préférence celles où les individus existaient le plus par eux-mêmes et se livraient avec le moins de réserve à leur caractère naturel. C'est ainsi que Goethe, l'auteur de *Werther*, a peint, dans *Goetz de Berlichingen*, la lutte de la chevalerie expirante contre l'autorité de l'empire, et Schiller a de même voulu retracer, dans *Wallstein*, les derniers efforts de l'esprit militaire, et cette vie indépendante et presque sauvage des camps, à laquelle les progrès de la civilisation ont fait succéder, dans les camps même, l'uniformité, l'obéissance et la discipline. Schiller a composé trois pièces sur la conspiration et sur la mort de Wallstein. La première est intitulée *le Camp de Wallstein ;* la seconde, *les Piccolomini ;* la troisième, *la Mort de Wallstein.* L'idée de composer trois pièces qui se suivent et forment un grand ensemble est empruntée des Grecs, qui nommaient ce genre une *trilogie*. [...]

● Dans les trois tragédies qui se rapportent à la famille des Atrides, la première a pour sujet la mort d'Agamemnon; la seconde, la punition de Clytemnestre; la dernière, l'absolution d'Oreste par l'Aréopage. On voit que, chez les Grecs, chacune des pièces qui composaient leurs trilogies avait son action particulière, qui se terminait dans la pièce même. Schiller a voulu lier plus étroitement entre elles les trois pièces de son *Wallstein.*

---

332. Pic de La Mirandole, savant philosophe italien, qui vivait à la fin du Moyen Age, avait comme devise : *De omni re scibili* (De toutes les choses qu'on peut savoir...). Un mauvais plaisant, voulant tourner en ridicule la prétention du savant, ajouta... *et quibusdam aliis...* et de quelques autres.

L'action ne commence qu'à la seconde et ne finit qu'à la troisième. *Le Camp* est une espèce de prologue sans aucune action. On y voit les mœurs des soldats sous les tentes qu'ils habitent : les uns chantent, les autres boivent, d'autres reviennent enrichis des dépouilles du paysan. Ils se racontent leurs exploits; ils parlent de leur chef, de la liberté qu'il leur accorde, des récompenses qu'il leur prodigue. Les scènes se suivent sans que rien les enchaîne l'une à l'autre; mais cette incohérence est naturelle; c'est un tableau mouvant où il n'y a ni passé ni avenir. Cependant le génie de Wallstein préside à ce désordre apparent : tous les esprits sont pleins de lui; tous célèbrent ses louanges, s'inquiètent des bruits répandus sur le mécontentement de la cour, se jurent de ne pas abandonner le général qui les protège. On aperçoit tous les symptômes d'une insurrection prête à éclater, si le signal en est donné par Wallstein. On démêle en même temps les motifs secrets qui, dans chaque individu, modifient son dévouement; les craintes, les soupçons, les calculs particuliers, qui viennent croiser l'impulsion universelle. On voit ce peuple armé, en proie à toutes les agitations populaires, entraîné par son enthousiasme, ébranlé par ses défiances, s'efforçant de raisonner, et n'y parvenant pas, faute d'habitude; bravant l'autorité, et mettant pourtant son honneur à obéir à son chef; insultant à la religion, et recueillant avec avidité toutes les traditions superstitieuses; mais toujours fier de sa force, toujours plein de mépris pour toute autre profession que celle des armes, ayant pour vertu le courage, et pour but le plaisir du jour.

Il serait impossible de transporter sur notre théâtre cette singulière production du génie, de l'exactitude, et je dirai même de l'érudition allemande; car il a fallu de l'érudition pour rassembler en un corps tous les traits qui distinguaient les armées du dix-septième siècle, et qui ne conviennent plus à aucune armée moderne. De nos jours, dans les camps comme dans les cités, tout est fixe, régulier, soumis. La discipline a remplacé l'effervescence; s'il y a des désordres partiels, ce sont des exceptions qu'on tâche de prévenir. Dans la guerre de trente ans, au contraire, ces désordres étaient l'état permanent, et la jouissance d'une liberté grossière et licencieuse, le dédommagement des dangers et des fatigues.

La seconde pièce a pour titre *les Piccolomini*. Dans cette pièce commence l'action; mais la pièce finit sans que l'action se termine. Le nœud se forme, les caractères se développent, la dernière scène du cinquième acte arrive, et la toile tombe. Ce n'est que dans la troisième pièce, dans *la Mort de Wallstein*, que le poète a placé le dénouement. Les deux premières ne sont donc, en réalité, qu'une exposition, et cette exposition contient plus de quatre mille vers.

Les trois pièces de Schiller ne semblent pas pouvoir être représentées séparément; elles le sont cependant en Allemagne. Les Allemands tolèrent ainsi, tantôt une pièce sans action, *le Camp de Wallstein;* tantôt une action sans dénouement, *les Piccolomini;* tantôt un dénouement sans exposition, *la Mort de Wallstein.* On a essayé plusieurs fois de transporter ces trois pièces sur la scène française; ces essais n'ont pas réussi. Mon imitation de *Wallstein*, la plus exacte de toutes, a été l'objet de beaucoup de critiques. Dégagé aujourd'hui de cet amour-propre qui anime un auteur dans les premiers moments de la publication d'un ouvrage, je reconnais que plusieurs de ces critiques étaient fondées.

En me condamnant à respecter toutes les règles de notre théâtre, j'avais détruit, de plusieurs manières, l'effet dramatique. [...]

● Tout l'univers s'adresse à l'homme dans un langage ineffable qui se fait entendre dans l'intérieur de son âme, dans une partie de son être, inconnue à lui-même, et qui tient à la fois des sens et de la pensée. Quoi de plus simple que d'imaginer que cet effort de la nature pour pénétrer en nous n'est pas sans une mystérieuse signification? Pourquoi cet ébranlement intime, qui paraît nous révéler ce que nous cache la vie commune? La raison, sans doute, ne peut l'expliquer; lorsqu'elle l'analyse, il disparaît, mais il est par là même essentiellement du domaine de la poésie. Consacré par elle, il trouve dans tous les cœurs des cordes qui lui répondent. Le sort annoncé par les astres, les pressentiments, les songes, les présages, ces ombres de l'avenir qui planent autour de nous, souvent non moins funèbres que les ombres du passé, sont de tous les pays, de tous les temps, de toutes les croyances. Quel est celui qui, lorsqu'un grand intérêt l'anime, ne prête pas, en tremblant, l'oreille à ce qu'il croit la voix de la destinée? Chacun, dans le sanctuaire de sa pensée, s'explique cette voix comme il peut. Chacun s'en tait avec les autres, parce qu'il n'y a point de paroles pour mettre en commun ce qui jamais n'est qu'individuel.

J'avais donc cru devoir conserver dans le caractère de Wallstein une superstition qu'il partageait avec presque tous les hommes remarquables de son siècle.

Mais, par égard pour nos règles, j'avais placé dans un récit l'exposé de la disposition superstitieuse de mon héros, au lieu de la faire ressortir sur le théâtre même, de circonstances accidentelles. [...]

● J'avais de plus méconnu une différence essentielle entre notre caractère et celui de nos voisins d'outre-Rhin. Nous avons un besoin d'unité qui nous fait repousser tout ce qui, dans le caractère de nos personnages tragiques, nuit à l'effet unique que nous voulons produire. Nous supprimons de la vie antérieure de nos héros tout ce qui ne s'enchaîne pas nécessairement au fait principal.

Qu'est-ce que Racine nous apprend sur Phèdre? Son amour pour Hippolyte, mais nullement son caractère personnel, indépendamment de cet amour. Qu'est-ce que le même poète nous fait connaître d'Oreste? Son amour pour Hermione. Les fureurs de ce prince ne viennent que des cruautés de sa maîtresse. On le voit à chaque instant prêt à s'adoucir, pour peu qu'Hermione lui donne quelque espérance. Ce meurtrier de sa mère paraît même avoir tout à fait oublié le forfait qu'il a commis. Il n'est occupé que de sa passion; il parle, après son parricide, de son innocence qui lui pèse; et si, lorsqu'il a tué Pyrrhus, il est poursuivi par les Furies, c'est que Racine a trouvé dans la tradition mythologique l'occasion d'une scène superbe, mais qui ne tient point à son sujet, tel qu'il l'a traité.

Ceci n'est point une critique. *Andromaque* est l'une des pièces les plus parfaites qui existent chez aucun peuple, et Racine ayant adopté le système français, a dû écarter, autant qu'il le pouvait, de l'esprit du spectateur, le souvenir du meurtre de Clytemnestre. Ce souvenir était inconciliable avec un amour pareil à celui d'Oreste pour Hermione. Un fils couvert du sang de sa mère, et ne songeant qu'à sa maîtresse, aurait produit un effet révoltant. Racine l'a senti, et pour éviter plus sûrement cet écueil, il a supposé qu'Oreste n'était allé en Tauride qu'afin de se délivrer par la mort de sa passion malheureuse.

Il en résulte que les Français, même dans celles de leurs tragédies qui sont fondées sur la tradition et sur l'histoire, ne peignent qu'un fait ou une passion; les Allemands, dans les leurs, peignent une vie entière et un caractère entier.

Quand je dis qu'ils peignent une vie entière, je ne veux pas dire qu'ils embrassent dans leurs pièces toute la vie de leurs héros; mais ils n'en omettent aucun événement important; et la réunion de ce qui se passe sur la scène et de ce que le spectateur apprend par des récits ou par des allusions, forme un tableau complet, d'une scrupuleuse exactitude.

Il en est de même du caractère. Les Allemands n'écartent de celui de leurs personnages rien de ce qui constituait leur individualité; ils nous les présentent avec leurs faiblesses, leurs inconséquences, et cette mobilité ondoyante qui appartient à la nature humaine et qui forme les êtres réels.

L'isolement dans lequel le système français présente le fait qui forme le sujet, et la passion qui est le mobile de chaque tragédie, a d'incontestables avantages.

En dégageant le fait que l'on a choisi de tous les faits antérieurs, on porte plus directement l'intérêt sur un objet unique; le héros est plus dans la main du poète qui s'est affranchi du passé; mais il y a peut-être aussi une couleur un peu moins réelle, parce que l'art ne peut jamais suppléer entièrement à la vérité, et que le spectateur, lors même qu'il ignore la liberté que l'auteur a prise, est averti, par je ne sais quel instinct, que ce n'est pas un personnage historique, mais un héros factice, une créature d'invention qu'on lui présente.

En ne peignant qu'une passion au lieu d'embrasser tout un caractère individuel, on obtient des effets plus constamment tragiques, parce que les caractères individuels, toujours mélangés, nuisent à l'unité de l'impression. Mais la vérité y perd peut-être encore. On se demande ce que seraient les héros qu'on voit, s'ils n'étaient dominés par la passion qui les agite, et l'on trouve qu'il ne resterait dans leur existence que peu de réalité. D'ailleurs il y a bien moins de variété dans les passions propres à la tragédie que dans les caractères individuels, tels que les crée la nature. Les caractères sont innombrables; les passions théâtrales sont en petit nombre. Sans doute l'admirable génie de Racine, qui triomphe de toutes les entraves, met de la diversité dans cette uniformité même. La jalousie de Phèdre n'est pas celle d'Hermione, et l'amour d'Hermione n'est pas celui de Roxane; cependant la diversité me semble plutôt encore dans la passion que dans le caractère de l'individu. [...]

● En imitant quelquefois le style familier que permettent aux tragiques allemands leurs vers ïambiques ou non rimés, j'avais enlevé à ma tragédie la pompe poétique à laquelle nos oreilles sont accoutumées. La langue de la tragédie allemande n'est point astreinte à des règles aussi délicates, aussi dédaigneuses que la nôtre. La pompe inséparable des alexandrins nécessite dans l'expression une certaine noblesse soutenue. Les auteurs allemands peuvent employer, pour le développement des caractères, une quantité de circonstances accessoires, qu'il serait impossible de mettre sur notre théâtre sans déroger à la dignité requise; et cependant ces petites circonstances répandent dans le tableau présenté de la sorte beaucoup de vie et de vérité. Dans le *Goetz de Berlichingen,* de Goethe, ce guerrier, assiégé dans son château par une armée impériale, donne à ses soldats un dernier repas pour les encourager. Vers la fin de ce repas, il demande du vin à sa femme, qui, suivant les usages de ces temps, est à la fois la dame et la ménagère du château; elle lui répond à demi-voix qu'il n'en reste plus qu'une seule cruche, qu'elle a réservée pour lui. Aucune tournure poétique ne permettrait de transporter ce détail sur notre théâtre : l'emphase des paroles ne ferait que gâter le naturel de la situation, et ce qui est touchant en allemand ne serait en français que ridicule. Il me semble néanmoins facile de concevoir, malgré nos habitudes contraires, que ce trait emprunté de la vie commune est plus propre que la description la plus pathétique à faire ressortir la situation du héros de la pièce, d'un vieux guerrier couvert de gloire, fier de ses droits héréditaires et de son opulence antique, chef naguère de vassaux nombreux, maintenant renfermé dans un dernier asile, et luttant avec quelques amis intrépides et fidèles contre les horreurs de la disette et la vengeance de l'empereur. [...]

● L'obligation de mettre en récit ce que, sur d'autres théâtres, on pourrait mettre en action, est un écueil dangereux pour les tragiques français. Ces récits ne sont presque jamais placés naturellement; celui qui raconte n'est point appelé par sa situation ou son intérêt à raconter de la sorte. Le poète d'ailleurs se trouve entraîné invinciblement à rechercher des détails d'autant moins dramatiques, qu'ils sont plus pompeux. On a relevé mille fois l'inconvenance du superbe récit de Théramène dans *Phèdre*. Racine ne pouvant, comme Euripide, présenter aux spectateurs Hippolyte déchiré, couvert de sang, brisé par sa chute, et dans les convulsions de la douleur et de l'agonie, a été forcé de faire raconter sa mort : et cette nécessité l'a conduit à blesser dans le récit de cet événement terrible, et la vraisemblance et la nature, par une profusion de détails poétiques, sur lesquels un ami ne peut s'étendre et qu'un père ne peut écouter. [...]

● Plus prévoyant, ou plus hardi, j'aurais évité la plupart des fautes que je viens d'indiquer dans mon propre ouvrage. J'aurais dû pressentir qu'une révolution politique entraînerait une révolution littéraire, et qu'une nation qui n'avait renoncé momentanément à la liberté que pour se précipiter dans tous les hasards des conquêtes ne se contenterait plus des émotions faibles et incomplètes qui pouvaient suffire à des spectateurs énervés par les jouissances d'une vie paisible et d'une civilisation raffinée.
Ce qui m'a trompé, c'est l'espèce d'immobilité dont le régime impérial avait frappé toutes les âmes, et qu'il avait gravée, pour ainsi dire, sur tous les visages. La littérature partageait cette immobilité. Bonaparte aimait la discipline partout, dans l'administration, dans l'armée, dans les écrivains, et la soumission de ces derniers n'était ni la moins prompte ni la moins empressée. Ce qui était dans le chef une faiblesse, funeste à la France et à lui-même, je veux dire le désir d'imiter Louis XIV, comme si ce n'eût pas été descendre au lieu de monter, était, dans les lettrés qui aspiraient à ses faveurs une complaisance intéressée à la fois et vaniteuse; car en obéissant au nouveau Louis XIV, ils se croyaient les égaux des grands hommes qui

avaient encensé l'ancien. De la sorte, les règles du théâtre, comme l'étiquette de la cour, paraissaient partie obligée du cortège impérial.

De plus, il y a toujours eu, dès le commencement de nos troubles, chez les hommes les plus révolutionnaires en politique, une tendance à proclamer leur attachement et leur respect pour les doctrines routinières de la littérature du dix-septième siècle et les règles recommandées par le précepteur en titre du Parnasse français. On eût dit qu'en se montrant, dans leurs ouvrages, scrupuleux et dociles, ils voulaient expier la vivacité et l'énergie de leurs autres opinions, et prouver que leurs doctrines populaires n'entachaient pas la pureté de leur goût. Ils croyaient par là se réhabiliter aux yeux de ce qu'on nommait encore la bonne compagnie, coterie prétentieuse et compassée, qui préfère l'oubli des devoirs à celui des formes. La révolution avait dispersé l'ancienne; mais Napoléon s'efforçait d'en créer une nouvelle, d'autant plus susceptible pour les convenances sociales et théâtrales, qu'elle éprouvait une ardeur de néophyte, et le sentiment qu'elle courait risque de broncher souvent sur le sol inconnu où son maître la plaçait.

En conséquence, tous les écrivains de l'empire étaient classiques. Chénier lui-même, le plus beau talent de son époque, comme auteur dramatique, Chénier qui, jeune et entraîné par son républicanisme, même avant la chute de la monarchie, avait foulé aux pieds, dans *Charles IX*, les barrières qui l'auraient gêné, était devenu, à la fin de sa courte carrière, le partisan le plus zélé de toutes les entraves léguées par Aristote et consacrées par Boileau.

Ces barrières sont renversées maintenant. La poésie a conquis sa liberté. Les dimensions de notre théâtre se sont agrandies, et les règles qui étaient autrefois des lois rigoureuses, d'après lesquelles la critique jugeait les auteurs, ne sont plus que des traditions dont les auteurs sont juges.

La victoire est donc remportée; elle l'est trop peut-être momentanément dans l'intérêt de l'art.

C'est en France qu'a été inventée la maxime qu'il valait mieux frapper fort que juste.

Il en résulte que nos écrivains frappent souvent si fort qu'ils ne frappent plus juste du tout.

Ils ont pour but exclusif de faire effet, et lorsque, avec raison, ils s'affranchissent de certaines règles, ils ont fréquemment le tort de s'écarter de la vérité, de la nature et du goût.

Comme il est beaucoup plus facile de faire effet par les rencontres fortuites, la multiplicité des acteurs, le changement des lieux, et même les spectres, les prodiges et les échafauds, que par les situations, les sentiments et les caractères, il serait à

craindre que nos jeunes auteurs s'élançant dans cette route avec trop de fougue, nous ne vissions plus sur notre théâtre que des échafauds, des combats, des fêtes, des apparitions et une succession de décorations éblouissantes.
Il y a dans le caractère des Allemands une fidélité, une candeur, un scrupule qui retiennent toujours l'imagination dans de certaines bornes. Leurs écrivains ont une conscience littéraire qui leur donne presque autant le besoin de l'exactitude historique et de la vraisemblance morale que celui des applaudissements du public. Ils ont dans le cœur une sensibilité naturelle et profonde qui se plaît à la peinture des sentiments vrais; ils y trouvent une telle jouissance, qu'ils s'occupent beaucoup plus de ce qu'ils éprouvent que de l'effet qu'ils produisent.
En conséquence, tous leurs moyens extérieurs, quelque multipliés qu'ils paraissent, ne sont que des accessoires. Mais en France, où l'on ne perd jamais de vue le public, où l'on ne parle, n'écrit et n'agit que pour les autres, les accessoires pourraient bien devenir le principal.

Ce n'est assurément pas que je réclame un respect puéril pour des règles surannées. Celle des unités de temps et de lieu est particulièrement absurde; elle fait de toutes nos tragédies des pièces d'intrigue; elle force les conspirateurs à concerter la mort du tyran dans son palais même; elle s'oppose à ce que Coriolan passe du Forum romain dans le camp des Volsques, où il doit pourtant se mettre à la tête des ennemis de son ingrate patrie.
Les unités de temps et de lieu circonscrivent nos tragédies dans un espace qui en rend la composition difficile, la marche précipitée, l'action fatigante et invraisemblable.

Elles contraignent le poète à négliger souvent, dans les événements et les caractères, la vérité de la gradation, la délicatesse des nuances. Ce défaut domine dans toutes les tragédies de Voltaire; on y aperçoit sans cesse des lacunes, des transitions trop brusques; on sent que ce n'est pas ainsi qu'agit la nature; elle ne marche point d'un pas si rapide; elle ne saute pas de la sorte les intermédiaires.
Il est donc incontestable que nos écrivains doivent s'affranchir de ce joug dans leur nouveau système tragique. Il faut seulement qu'ils se tiennent en garde contre les changements de lieu trop fréquents ou trop brusques. Quelque adroitement qu'ils soient effectués, ils forcent le spectateur à se rendre compte de la transposition de la scène, et détournent ainsi une partie de son attention de l'intérêt principal. Après chaque décoration nouvelle, il est obligé de se remettre dans l'illusion dont on l'a fait sortir. La même chose arrive lorsqu'un espace de temps trop considérable s'écoule d'un acte à l'autre. Dans ces deux cas, le poète reparaît, pour ainsi dire, en avant des personnages, et il y a

une espèce de prologue ou de préface sous-entendue qui nuit à la continuité de l'impression.

Au reste, ces inconvénients inévitables, en littérature comme en politique, ne seront pas de longue durée : partout où la liberté existe, la raison ne tarde pas à reprendre l'empire. Les esprits stationnaires ont beau crier que les innovations corrompent le goût du public : le goût du public ne se corrompt pas; il approuve ce qui est dans la vérité et dans la nature; il repousse ce qui fausse la vérité, ce qui s'écarte de la nature en l'exagérant. Les masses ont un instinct admirable. Cet instinct a déjà tracé à nos exigences politiques les bornes nécessaires pour concilier l'ordre et la liberté; cet instinct travaille et réussit à placer la religion dans la sphère qui lui appartient, entre l'incrédulité et le fanatisme; ce même instinct exercera son influence sur la littérature, et réprimera les écrivains sans les garrotter.

En France, on adaptait les dramaturges étrangers, mais dans une forme édulcorée et académique que dénoncera Th. Gautier dans son *Histoire de l'art dramatique* (tome IV) : « Ce que le *bon* Ducis avait fait pour Shakespeare, plusieurs écrivains de la Restauration avaient imaginé de le faire pour Schiller. Tout son répertoire a passé, en peu d'années, par l'étamine de ce que l'on est convenu d'appeler le goût français. »

2.2. L'ANGLETERRE

« Shakespeare, c'est le Drame », s'écriait V. Hugo. On confrontera avec la *Préface de* « *Cromwell* » les textes suivants.

◆ Stendhal, *Racine et Shakespeare*, I.

Chapitre premier.

Pour faire des tragédies
qui puissent intéresser le public
en 1823,
faut-il suivre
les errements de Racine ou
ceux de Shakespeare?

Cette question semble usée en France, et cependant l'on n'y a jamais entendu que les arguments d'un seul parti; les journaux les plus divisés par leurs opinions politiques, *la Quotidienne*[333] comme *le Constitutionnel*[334], ne se montrent d'accord que pour

333. Le principal journal ultra; il polémique contre *le Constitutionnel;* **334.** Il paraît depuis 1815 seulement, alors que *la Quotidienne* date de 1792. C'est le grand organe de la bourgeoisie libérale.

une seule chose, pour proclamer le théâtre français, non seulement le premier théâtre du monde, mais encore le seul raisonnable. Si le pauvre *romanticisme* avait une réclamation à faire entendre, tous les journaux de toutes les couleurs lui seraient également fermés.

Mais cette apparente défaveur ne nous effraie nullement, parce que c'est une affaire de parti. Nous y répondons par un seul fait : Quel est l'ouvrage littéraire qui a le plus réussi en France depuis dix ans?

Les romans de Walter Scott.

Qu'est-ce que les romans de Walter Scott?

De la tragédie romantique, entremêlée de longues descriptions.

On nous objectera le succès des *Vêpres siciliennes*, du *Paria*, des *Machabées*, de *Régulus*.

Ces pièces font beaucoup de plaisir; mais elles ne font pas un *plaisir dramatique*. Le public, qui ne jouit pas d'ailleurs d'une extrême liberté, aime à entendre réciter des sentiments généreux exprimés en beaux vers.

Mais c'est là un plaisir *épique*, et non pas dramatique. Il n'y a jamais ce degré d'illusion nécessaire à une émotion profonde. C'est par cette raison ignorée de lui-même, car à vingt ans, quoi qu'on en dise, l'on veut jouir, et non pas raisonner, et l'on fait bien; c'est par cette raison secrète que le jeune public du second théâtre français[335] se montre si facile sur la fable des pièces qu'il applaudit avec le plus de transports. Quoi de plus ridicule que la fable du *Paria*, par exemple? cela ne résiste pas au moindre examen. Tout le monde a fait cette critique, et cette critique n'a pas pris. Pourquoi? c'est que le public ne veut que de beaux vers. Le public va chercher au théâtre français actuel une suite d'odes bien pompeuses, et d'ailleurs exprimant avec force des sentiments généreux. Il suffit qu'elles soient amenées par quelques vers de liaison. C'est comme dans les ballets de la rue Pelletier[336]; l'action doit être faite uniquement pour amener de beaux pas, et pour motiver, tant bien que mal, des danses agréables.

Je m'adresse sans crainte à cette jeunesse égarée, qui a cru faire du patriotisme et de l'honneur national en sifflant Shakespeare[337], parce qu'il fut Anglais. Comme je suis rempli d'estime pour des jeunes gens laborieux, l'espoir de la France, je leur parlerai le langage sévère de la vérité.

Toute la dispute entre Racine et Shakespeare se réduit à savoir si, en observant les deux unités de *lieu* et de *temps*, on peut faire des pièces qui intéressent vivement des spectateurs du dix-

---

335. L'Odéon; **336.** L'Opéra s'installe rue Le Peletier le 8 août 1821; **337.** Le 31 juillet 1822, une troupe anglaise était venue jouer à Paris Shakespeare en anglais. Elle avait été mal accueillie par une partie du public, par nationalisme.

neuvième siècle, des pièces qui les fassent pleurer et frémir, ou, en d'autres termes, qui leur donnent des plaisirs *dramatiques*, au lieu des plaisirs *épiques* qui nous font courir à la cinquantième représentation du *Paria* ou de *Régulus*.

Je dis que l'observation des deux unités de *lieu* et de *temps* est une habitude française, *habitude profondément enracinée*, habitude dont nous nous déferons difficilement, parce que Paris est le salon de l'Europe et lui donne le ton; mais je dis que ces unités ne sont nullement nécessaires à produire l'émotion profonde et le véritable effet dramatique. [...]

Nous avons des habitudes; choquez ces habitudes, et nous ne serons sensibles pendant longtemps qu'à la contrariété qu'on nous donne. Supposons que Talma se présente sur la scène, et joue Manlius avec les cheveux poudrés à blanc et arrangés en ailes de pigeon, nous ne ferons que rire tout le temps du spectacle. En sera-t-il moins sublime au fond? Non; mais nous ne verrons pas ce sublime. Or Lekain eût produit *exactement le même effet en* 1760, s'il se fût présenté sans poudre pour jouer ce même rôle de Manlius. Les spectateurs n'auraient été sensibles pendant toute la durée du spectacle qu'à *leur habitude choquée*. Voilà précisément où nous en sommes en France pour Shakespeare. Il contrarie un grand nombre de ces habitudes ridicules que la lecture assidue de Laharpe et des autres petits rhéteurs musqués du dix-huitième siècle nous a fait contracter. Ce qu'il y a de pis, c'est que nous mettons de la *vanité* à soutenir que ces mauvaises habitudes sont fondées dans la nature.

Les jeunes gens peuvent revenir encore de cette erreur d'amour-propre. Leur âme étant susceptible d'impressions vives, le plaisir peut leur faire oublier la vanité; or, c'est ce qu'il est impossible de demander à un homme de plus de quarante ans. Les gens de cet âge à Paris ont pris leur parti sur toutes choses, et même sur des choses d'une bien autre importance que celle de savoir si, pour faire des tragédies intéressantes en 1823, il faut suivre le système de Racine ou celui de Shakespeare.

◆ A. Dumas, *Comment je devins auteur dramatique* (avant-propos à son théâtre).

Vers ce temps-là, les acteurs anglais arrivèrent à Paris. Je n'avais jamais lu une seule pièce du théâtre étranger. Ils annoncèrent *Hamlet*. Je ne connaissais que celui de Ducis. J'allai voir celui de Shakespeare.

Supposez un aveugle-né auquel on rend la vue, qui découvre un monde tout entier dont il n'avait aucune idée...

Oh! c'était donc cela que je cherchais, qui me manquait, qui me devait venir; c'étaient des hommes de théâtre, oubliant qu'ils sont sur un théâtre; c'était cette vie factice, rentrant dans la vie positive à force d'art; c'était cette réalité des paroles et des gestes qui faisait des acteurs, des créatures de Dieu, avec leurs vertus, leurs passions, leurs faiblesses, et non pas des héros guindés, impassibles, déclamateurs et sentencieux. Ô Shakespeare, merci! Ô Kemble et Smithson, merci! Merci à mon Dieu! merci à mes anges de poésie!

Je vis ainsi *Roméo*, *Virginius*, *Shylock*, *Guillaume Tell*, *Othello;* je vis Macready, Kean, Young. Je lus, je dévorai le répertoire étranger, et je reconnus que, dans le monde théâtral, tout émanait de Shakespeare, comme dans le monde réel, tout émane du soleil; que nul ne pouvait lui être comparé, car il était aussi dramatique que Corneille, aussi comique que Molière, aussi original que Calderon, aussi penseur que Goethe, aussi passionné que Schiller. Je reconnus que ses ouvrages, à lui seul, renfermaient autant de types que les ouvrages de tous les autres réunis. Je reconnus enfin que c'était l'homme qui avait le plus créé après Dieu.

◆ A. de Vigny, *Lettre à lord****.

Voici le fond de ce que j'avais à dire aux intelligences, le 24 octobre 1829 :

Une simple question est à résoudre. La voici :

La scène française s'ouvrira-t-elle, ou non, à une tragédie moderne produisant : — dans sa conception, un tableau large de la vie, au lieu du tableau resserré de la catastrophe d'une intrigue; — dans sa composition, des caractères, non des rôles, des scènes paisibles sans drame, mêlées à des scènes comiques et tragiques; — dans son exécution, un style familier, comique, tragique, et parfois épique?

3. UN THÉÂTRE FONDÉ SUR L'HISTOIRE MODERNE

3.1. L'HISTOIRE ET SES CONSÉQUENCES

◆ Mme de Staël, *De la littérature...*, II, v (1800).

On n'égalera jamais, dans le genre des beautés idéales, nos premiers tragiques. Il faut donc tenter, avec la mesure de la raison, avec la sagesse de l'esprit, de se servir plus souvent des moyens dramatiques qui rappellent aux hommes leurs propres souvenirs; car rien ne les émeut aussi profondément...

◆ Stendhal, *Racine et Shakespeare* (1825).

J'aimerais à voir, je l'avoue, sur la scène française, *la mort du duc de Guise à Blois*, ou *Jeanne d'Arc et les Anglais*, ou *l'assassinat du pont de Montereau;* ces grands et funestes tableaux, extraits de nos annales, feraient vibrer une corde sensible dans tous les cœurs français, et, suivant les romantiques, les intéresseraient plus que les malheurs d'Œdipe.

◆ *Lettres normandes* (13 mars 1820).

Honneur aux poètes tragiques de notre âge, qui ont enfin la noble audace d'abandonner la fable et l'histoire ancienne pour nous offrir des tableaux tirés de nos propres annales, ou du moins des fastes modernes...

◆ B. Constant. *Réflexions sur la tragédie de « Wallstein » et sur le théâtre allemand* (1809).

Mais si la tragédie doit renoncer aux unités de temps et de lieu, elle doit s'attacher d'autant plus à la *couleur locale*. La couleur locale est ce qui caractérise essentiellement l'état de société que les compositions dramatiques ont pour but de peindre. La couleur locale a un charme et un intérêt particuliers. Ce charme, autrefois, n'était pas senti... *La couleur locale est néanmoins la base de toute vérité;* sans elle, rien à l'avenir ne réussira.

3.2. GRANDEUR ET VÉRITÉ

◆ Le souci de vérité : Manzoni, *Lettre sur les unités de temps et de lieu* (1823).

Ce n'est pas la violation de la règle qui l'a entraîné à ce mélange du grave et du burlesque, du touchant et du bas; c'est qu'il avait observé ce mélange dans la réalité, et qu'il voulait rendre la forte impression qu'il en avait reçue.

◆ « Le propre du drame, c'est l'immensité » : V. Hugo, *William Shakespeare* (I, 4).

Le drame est déconcertant. Il déroute les faibles. Cela tient à son ubiquité. Le drame a tous les horizons. Qu'on juge de sa capacité. L'épopée a pu être fondue dans le drame, et le résultat, c'est cette merveilleuse nouveauté littéraire qui est en même temps une puissance sociale, le roman.
L'épique, le lyrique et le dramatique amalgamés, le roman est ce bronze. *Don Quichotte* est iliade, ode et comédie.
Tel est l'élargissement possible du drame.
Le drame est le plus vaste récipient de l'art. Dieu et Satan y tiennent; voyez Job.
A se placer au point de vue de l'art absolu, le propre de l'épopée, c'est la grandeur; le propre du drame, c'est l'immensité.
L'immense diffère du grand en ce qu'il exclut, si bon lui semble,

la dimension, en ce qu'« il passe la mesure », comme on dit vulgairement, et en ce qu'il peut, sans perdre la beauté, perdre la proportion. Il est harmonieux comme la voie lactée. C'est par l'immensité que le drame commence, il y a quatre mille ans, dans Job, que nous venons de rappeler, et, il y a deux mille cinq cents ans, dans Eschyle; c'est par l'immensité qu'il se continue dans Shakespeare. Quels personnages prend Eschyle? Les volcans, une de ses trilogies perdues s'appelle *l'Etna;* puis les montagnes, le Caucase avec Prométhée; puis la mer, l'Océan sur son dragon, et les vagues, les océanides; puis le vaste orient, *les Perses;* puis les ténèbres sans fond, *les Euménides*. Eschyle fait la preuve de l'homme par le géant. Dans Shakespeare le drame se rapproche de l'humanité, mais reste colossal. Macbeth semble un Atride polaire. Vous le voyez, le drame ouvre la nature, puis ouvre l'âme; et nulle limite à cet horizon. Le drame c'est la vie, et la vie c'est tout. L'épopée peut n'être que grande, le drame est forcé d'être immense.

Cette immensité, c'est tout Eschyle, et c'est tout Shakespeare.

◆ « Le but du poète dramatique » : V. Hugo, *Préface de « Marie Tudor »*.

Il y a deux manières de passionner la foule au théâtre : par le grand et par le vrai. Le grand prend les masses, le vrai saisit l'individu.

Le but du poëte dramatique, quel que soit d'ailleurs l'ensemble de ses idées sur l'art, doit donc toujours être, avant tout, de chercher le grand, comme Corneille, ou le vrai, comme Molière; ou, mieux encore, et c'est ici le plus haut sommet où puisse monter le génie, d'atteindre tout à la fois le grand et le vrai, le grand dans le vrai, le vrai dans le grand, comme Shakespeare. Car, remarquons-le en passant, il a été donné à Shakespeare, et c'est ce qui fait la souveraineté de son génie, de concilier, d'unir, d'amalgamer sans cesse dans son œuvre ces deux qualités, la vérité et la grandeur, qualités presque opposées, ou tout au moins tellement distinctes, que le défaut de chacune d'elles constitue le contraire de l'autre. L'écueil du vrai, c'est le petit; l'écueil du grand, c'est le faux. Dans tous les ouvrages de Shakespeare, il y a du grand qui est vrai et du vrai qui est grand. Au centre de toutes ses créations, on retrouve le point d'intersection de la grandeur et de la vérité; et là où les choses grandes et les choses vraies se croisent, l'art est complet. Shakespeare, comme Michel-Ange, semble avoir été créé pour résoudre ce problème étrange dont le simple énoncé paraît absurde : — rester toujours dans la nature, tout en en sortant quelquefois. — Shakespeare exagère les proportions, mais il maintient les rapports. Admirable toute-puissance du poëte! il fait des choses plus hautes que nous qui vivent comme nous. Hamlet, par exemple, est aussi vrai qu'aucun de nous, et plus grand. Hamlet est colossal, et pourtant réel. C'est que Hamlet, ce n'est pas vous, ce n'est pas moi, c'est nous tous. Hamlet, ce n'est pas un homme, c'est l'homme.

Dégager perpétuellement le grand à travers le vrai, le vrai à travers le grand, tel est donc, selon l'auteur de ce drame, et en maintenant, du reste, toutes les autres idées qu'il a pu développer ailleurs sur ces matières, tel est le but du poëte au théâtre. Et ces deux mots, *grand* et *vrai*, renferment tout. La vérité contient la moralité, le grand contient le beau.

Ce but, on ne lui supposera pas la présomption de croire qu'il l'a jamais atteint, ou même qu'il pourra jamais l'atteindre; mais on lui permettra de se rendre à lui-même publiquement ce témoignage qu'il n'en a jamais cherché d'autre au théâtre jusqu'à ce jour. Le nouveau drame qu'il vient de faire représenter est un effort de plus vers ce but rayonnant. Quelle est, en effet, la pensée qu'il a tenté de réaliser dans *Marie Tudor?* La voici. Une reine qui soit une femme. Grande comme reine. Vraie comme femme.

Il l'a déjà dit ailleurs, le drame comme il le sent, le drame comme il voudrait le voir créer par un homme de génie, le drame selon le dix-neuvième siècle, ce n'est pas la tragi-comédie hautaine, démesurée, espagnole et sublime de Corneille; ce n'est pas la tragédie abstraite, amoureuse, idéale et divinement élégiaque de Racine; ce n'est pas la comédie profonde, sagace, pénétrante, mais trop impitoyablement ironique, de Molière; ce n'est pas la tragédie à intention philosophique de Voltaire; ce n'est pas la comédie à action révolutionnaire de Beaumarchais; ce n'est pas plus que tout cela, mais c'est tout cela à la fois; ou, pour mieux dire, ce n'est rien de tout cela. Ce n'est pas, comme chez ces grands hommes, un seul côté des choses systématiquement et perpétuellement mis en lumière, c'est tout regardé à la fois sous toutes les faces. S'il y avait un homme aujourd'hui qui pût réaliser le drame comme nous le comprenons, ce drame, ce serait le cœur humain, la tête humaine, la passion humaine, la volonté humaine; ce serait le passé ressuscité au profit du présent; ce serait l'histoire que nos pères ont faite, confrontée avec l'histoire que nous faisons; ce serait le mélange sur la scène de tout ce qui est mêlé dans la vie; ce serait une émeute là et une causerie d'amour ici, et dans la causerie d'amour une leçon pour le peuple, et dans l'émeute un cri pour le cœur; ce serait le rire; ce seraient les larmes; ce serait le bien, le mal, le haut, le bas, la fatalité, la providence, le génie, le hasard, la société, le monde, la nature, la vie; et au-dessus de tout cela on sentirait planer quelque chose de grand!

4. LES CONSÉQUENCES FORMELLES

4.1. LE REJET DES UNITÉS

◆ Elles conviennent à la tragédie (Musset, *De la tragédie*).

L'introduction du drame en France a exercé une influence si rapide et si forte, que, pour satisfaire ce goût nouveau sans déserter entièrement l'ancienne école, quelques écrivains ont pris le parti de chercher un genre mitoyen, et de faire, pour ainsi dire, des drames tragiques. Ils n'ont pas précisément violé les règles, mais ils les ont éludées, et on pourrait dire, en style de palais, qu'ils ont commis un délit romantique avec circonstances atténuantes. D'excellents esprits ont tenté cette voie; ils y ont réussi parce que le talent plaît toujours, sous quelque forme qu'on le trouve; mais, en mettant à part ces succès mérités, je crois que ce genre en lui-même est faux, bâtard et dangereux pour les jeunes gens qui le tenteraient. « Que m'importe, dira-t-on, que les règles soient observées ou non dans une pièce, pourvu qu'elle m'amuse? » Le public a raison de raisonner ainsi; ce ne sont pas ses affaires que les divisions d'Aristote, mais ce sont les affaires de l'écrivain, qui les doit connaître, et ce n'est pas pour se divertir que le précepteur d'Alexandre a fait tant de calculs, tant de profondes études, tant de recherches arides, afin d'en venir à établir ces lois.

Beaucoup de gens se sont habitués à regarder les règles comme des entraves; La Motte disait que les trois unités étaient une chose de fantaisie, dont on pouvait se servir ou se passer à son gré. Il est certain que rien n'oblige un honnête homme à s'y astreindre; qui veut peut écrire ce qui lui plaît. Les règles de la tragédie ne regardent que celui qui a dessein de faire une tragédie; mais vouloir en faire une sans les unités, c'est à peu près la même chose que de vouloir bâtir une maison sans pierres. Une pièce sans unités peut être fort belle; on peut y trouver mille charmes et les plus beaux vers du monde; on peut même imprimer sur une affiche que c'est une tragédie; mais, pour le faire croire, c'est autre chose, à moins d'imiter ce moine qui, en carême, jetait un peu d'eau sur un poulet en lui disant : « Je te baptise carpe. »

Si les règles étaient des entraves créées à plaisir pour augmenter la difficulté, mettre un auteur à la torture, et l'obliger à des tours de force, ce serait une puérilité si sotte qu'il n'est guère probable que des esprits comme Sophocle, Euripide, Corneille, s'y fussent prêtés. Les règles ne sont que le résultat des calculs qu'on a faits sur les moyens d'arriver au but que se propose l'art. Loin d'être des entraves, ce sont des armes, des recettes, des secrets, des leviers. Un architecte se sert de roues, de poulies, de charpentes; un poète se sert des règles, et plus elles seront exactement observées, énergiquement employées, plus l'effet sera grand, le résultat solide; gardez-vous donc bien de les affaiblir, si vous ne voulez vous affaiblir vous-même.

◆ On étudiera les raisons données par Stendhal (*Racine et Shakespeare*, I) pour rejeter les unités de temps et de lieu.

LE ROMANTIQUE. — [...] Pourquoi exigez-vous, dirai-je aux partisans du *classicisme*, que l'action représentée dans une tragédie ne dure pas plus de vingt-quatre ou de trente-six heures, et que le lieu de la scène ne change pas, ou que du moins, comme le dit Voltaire, les changements de lieu ne s'étendent qu'aux divers appartements d'un palais?

L'ACADÉMICIEN. — Parce qu'il n'est pas vraisemblable qu'une action représentée en deux heures de temps, comprenne la durée d'une semaine ou d'un mois, ni que, dans l'espace de peu de moments, les acteurs aillent de Venise à Chypre, comme dans l'*Othello* de Shakespeare; ou d'Écosse à la cour d'Angleterre, comme dans *Macbeth*.

LE ROMANTIQUE. — Non seulement cela est invraisemblable et impossible; mais il est impossible également que l'action comprenne vingt-quatre ou trente-six heures.

L'ACADÉMICIEN. — A Dieu ne plaise que nous ayons l'absurdité de prétendre que la durée fictive de l'action doive correspondre exactement avec le temps *matériel* employé pour la représentation. C'est alors que les règles seraient de véritables entraves pour le génie. Dans les arts d'imitation, il faut être sévère, mais non pas rigoureux. Le spectateur peut fort bien se figurer que, dans l'intervalle des entractes, il se passe quelques heures, d'autant mieux qu'il est distrait par les symphonies que joue l'orchestre.

LE ROMANTIQUE. — Prenez garde à ce que vous dites, Monsieur, vous me donnez un avantage immense; vous convenez donc que le spectateur peut *se figurer* qu'il se passe un temps plus considérable que celui pendant lequel il est assis au théâtre. Mais, dites-moi, pourra-t-il se figurer qu'il se passe un temps double du temps réel, triple, quadruple, cent fois plus considérable? Où nous arrêterons-nous?

L'ACADÉMICIEN. — Vous êtes singuliers, vous autres philosophes modernes : vous blâmez les poétiques, parce que, dites-vous, elles enchaînent le génie; et actuellement vous voudriez que la règle de l'*unité de temps*, pour être plausible, fût appliquée par nous avec toute la rigueur et toute l'exactitude des mathématiques. Ne vous suffit-il donc pas qu'il soit évidemment contre toute vraisemblance que le spectateur puisse se figurer qu'il s'est passé un an, un mois, ou même une semaine, depuis qu'il a pris son billet, et qu'il est entré au théâtre?

LE ROMANTIQUE. — Et qui vous a dit que le spectateur ne peut pas se figurer cela?

L'ACADÉMICIEN. — C'est la raison qui me le dit.

LE ROMANTIQUE. — Je vous demande pardon; la raison ne saurait vous l'apprendre. Comment feriez-vous pour savoir que le spectateur peut se figurer qu'il s'est passé vingt-quatre heures, tandis qu'en effet il n'a été que deux heures assis dans sa loge, si l'expérience ne vous l'enseignait? Comment pourriez-vous savoir que les heures, qui paraissent si longues à un homme qui s'ennuie, semblent voler pour celui qui s'amuse, si l'expérience ne vous l'enseignait? En un mot, c'est l'*expérience* seule qui doit décider entre vous et moi.

L'ACADÉMICIEN. — Sans doute, l'expérience.

LE ROMANTIQUE. — Hé bien! l'expérience a déjà parlé contre vous. En Angleterre, depuis deux siècles; en Allemagne, depuis cinquante ans, on donne des tragédies dont l'action dure des mois entiers, et l'imagination des spectateurs s'y prête parfaitement.

L'ACADÉMICIEN. — Là, vous me citez des étrangers, et des Allemands encore!

LE ROMANTIQUE. — Un autre jour, nous parlerons de cette incontestable supériorité que le Français en général, et en particulier l'habitant de Paris, a sur tous les peuples du monde. Je vous rends justice, cette supériorité est *de sentiment* chez vous; vous êtes des despotes gâtés par deux siècles de flatterie. Le hasard a voulu que ce soit vous, Parisiens, qui soyez chargés de faire les réputations littéraires en Europe; et une femme d'esprit, connue par son *enthousiasme*[338] pour les beautés de la nature, s'est écrié, pour plaire aux Parisiens : « Le plus beau ruisseau du monde, c'est le ruisseau de la rue du Bac. » Tous les écrivains de bonne compagnie, non seulement de la France, mais de toute l'Europe, vous ont flattés pour obtenir de vous en échange un peu de renom littéraire; et ce que vous appelez *sentiment intérieur*, *évidence morale*, n'est autre chose que l'évidence morale d'un enfant gâté, en d'autres termes, l'*habitude de la flatterie*.

Mais revenons. Pouvez-vous me nier que l'habitant de Londres ou d'Édimbourg, que les compatriotes de Fox et de Sheridan, qui peut-être ne sont pas tout à fait des sots, ne voient représenter, sans en être nullement choqués, des tragédies telles que

338. Madame de Staël.

Macbeth, par exemple? Or cette pièce qui, chaque année, est applaudie un nombre infini de fois en Angleterre et en Amérique, commence par l'assassinat du roi et la fuite de ses fils, et finit par le retour de ces mêmes princes à la tête d'une armée qu'ils ont rassemblée en Angleterre, pour détrôner le sanguinaire Macbeth. Cette série d'actions exige nécessairement plusieurs mois.

L'ACADÉMICIEN. — Ah! vous ne me persuaderez jamais que les Anglais et les Allemands, tout étrangers qu'ils soient, se figurent réellement que des mois entiers se passent, tandis qu'ils sont au théâtre.

LE ROMANTIQUE. — Comme vous ne me persuaderez jamais que des spectateurs français croient qu'il se passe vingt-quatre heures, tandis qu'ils sont assis à une représentation d'*Iphigénie en Aulide*.

L'ACADÉMICIEN *(impatienté)*. — Quelle différence!

LE ROMANTIQUE. — Ne nous fâchons pas, et daignez observer avec attention ce qui se passe dans votre tête. Essayez d'écarter pour un moment le voile jeté par l'habitude sur des actions qui ont lieu si vite, que vous en avez presque perdu le pouvoir de les suivre de l'œil et de les voir *se passer*. Entendons-nous sur ce mot *illusion*. Quand on dit que l'imagination du spectateur se figure qu'il se passe le temps nécessaire pour les événements que l'on représente sur la scène, on n'entend pas que l'illusion du spectateur aille au point de croire tout ce temps réellement écoulé. Le fait est que le spectateur, entraîné par l'action, n'est choqué de rien; il ne songe nullement au temps écoulé. Votre spectateur parisien voit à sept heures précises Agamemnon réveiller Arcas; il est témoin de l'arrivée d'Iphigénie; il la voit conduire à l'autel où l'attend le jésuitique Calchas; il saurait bien répondre, si on le lui demandait, qu'il a fallu plusieurs heures pour tous ces événements. Cependant, si, durant la dispute d'Achille avec Agamemnon, il tire sa montre, elle lui dit : Huit heures et un quart. Quel est le spectateur qui s'en étonne? Et cependant la pièce qu'il applaudit a déjà duré plusieurs heures.

C'est que même votre spectateur parisien est accoutumé à voir le temps marcher d'un pas différent sur la scène et dans la salle. Voilà un fait que vous ne pouvez me nier.

Il est clair que, même à Paris, même au théâtre français de la rue de Richelieu, l'imagination du spectateur se prête avec facilité aux suppositions du poète. Le spectateur ne fait naturellement nulle attention aux intervalles de temps dont le poète a besoin, pas plus qu'en sculpture il ne s'avise de reprocher à Dupaty ou à Bosio que leurs figures manquent de mouvement. C'est là une des infirmités de l'art. Le spectateur, quand il n'est pas un pédant, s'occupe uniquement des faits et des développements de passions que l'on met sous ses yeux. Il arrive précisément la même chose dans la tête du Parisien qui applaudit *Iphigénie en Aulide*, et dans celle de l'Écossais qui admire l'histoire de ses anciens rois, Macbeth et Duncan. La seule différence, c'est que le Parisien, enfant de bonne maison, a pris l'habitude de se moquer de l'autre.

L'ACADÉMICIEN. — C'est-à-dire que, suivant vous, l'illusion théâtrale serait la même pour tous deux?

LE ROMANTIQUE. — Avoir des illusions, être dans l'*illusion*, signifie se tromper, à ce que dit le dictionnaire de l'Académie. Une *illusion*, dit M. Guizot[339], est l'effet d'une chose ou d'une idée qui nous déçoit par une apparence trompeuse. Illusion signifie donc l'action d'un homme qui croit la chose qui n'est pas, comme dans les rêves, par exemple. L'illusion théâtrale, ce sera l'action d'un homme qui croit véritablement existantes les choses qui se passent sur la scène.

L'année dernière (août 1822), le soldat qui était en faction dans l'intérieur du théâtre de Baltimore, voyant Othello qui, au cinquième acte de la tragédie de ce nom, allait tuer Desdemona, s'écria : « Il ne sera jamais dit qu'en ma présence un maudit nègre aura tué une femme blanche. » Au même moment le soldat tire son coup de fusil, et casse un bras à l'acteur qui faisait Othello. Il ne se passe pas d'années sans que les journaux ne rapportent des faits semblables. Eh bien : ce soldat avait de l'*illusion*, croyait vraie l'action qui se passait sur la scène. Mais un spectateur ordinaire, dans l'instant le plus vif de son plaisir, au moment où il *applaudit* avec transport Talma-Manlius[340] disant à son ami : « Connais-tu cet écrit? » par cela seul qu'il applaudit, n'a pas l'*illusion complète*, car il applaudit Talma, et non pas le romain Manlius; Manlius ne fait rien de digne d'être applaudi, son action est fort simple et tout à fait dans son intérêt.

L'ACADÉMICIEN. — Pardonnez-moi, mon ami, mais ce que vous me dites là est un lieu commun.

LE ROMANTIQUE. — Pardonnez-moi, mon ami, mais ce que vous me dites là est la défaite d'un homme qu'une longue habitude de se payer de phrases élégantes a rendu incapable de raisonner d'une manière serrée.

Il est impossible que vous ne conveniez pas que l'illusion que l'on va chercher au théâtre n'est pas une illusion parfaite. L'illusion *parfaite* était celle du soldat en faction au théâtre de Baltimore.

---

339. Dans son *Nouveau Dictionnaire universel des synonymes de la langue française*;
340. *Manlius Capitolinus*, de Lafosse d'Aubigny; le rôle principal était tenu par Talma au Théâtre-Français. Par cet *écrit*, Manlius apprend la trahison de son ami.

Il est impossible que vous ne conveniez pas que les spectateurs savent bien qu'ils sont au théâtre, et qu'ils assistent à la représentation d'un ouvrage de l'art, et non pas à un fait vrai.

L'ACADÉMICIEN. — Qui songe à nier cela?

LE ROMANTIQUE. — Vous m'accordez donc l'*illusion imparfaite?* Prenez garde à vous.

Croyez-vous que, de temps en temps, par exemple, deux ou trois fois dans un acte, et à chaque fois durant une seconde ou deux, l'illusion soit complète?

L'ACADÉMICIEN. — Ceci n'est point clair. Pour vous répondre, j'aurais besoin de retourner plusieurs fois au théâtre, et de me voir agir.

LE ROMANTIQUE. — Ah! voilà une réponse charmante et pleine de bonne foi. On voit bien que vous êtes de l'Académie, et que vous n'avez plus besoin des suffrages de vos collègues pour y arriver. Un homme qui aurait à faire sa réputation de littérateur instruit, se donnerait bien garde d'être si clair et de raisonner d'une manière si précise. Prenez garde à vous; si vous continuez à être de bonne foi, nous allons être d'accord.

Il me semble que ces moments d'*illusion parfaite* sont plus fréquents qu'on ne le croit en général, et surtout qu'on ne l'admet pour vrai dans les discussions littéraires. Mais ces moments durent infiniment peu, par exemple une demi-seconde, ou un quart de seconde. On oublie bien vite Manlius pour ne voir que Talma; ils ont plus de durée chez les jeunes femmes, et c'est pour cela qu'elles versent tant de larmes à la tragédie.

Mais recherchons dans quels moments de la tragédie le spectateur peut espérer de rencontrer ces instants délicieux d'*illusion parfaite*.

Ces instants charmants ne se rencontrent ni au moment d'un changement de scène, ni au moment précis où le poète fait sauter douze ou quinze jours au spectateur, ni au moment où le poète est obligé de placer un long récit dans la bouche d'un de ses personnages, uniquement pour informer le spectateur d'un fait antérieur, et dont la connaissance lui est nécessaire, ni au moment où arrivent trois ou quatre vers admirables, et remarquables *comme vers*.

Ces instants délicieux et si rares d'*illusion parfaite* ne peuvent se rencontrer que dans la chaleur d'une scène animée, lorsque les répliques des acteurs se pressent; par exemple, quand Hermione dit à Oreste, qui vient d'assassiner Pyrrhus par son ordre :

Qui te l'a dit?

Jamais on ne trouvera ces moments d'*illusion parfaite*, ni à l'instant où un meurtre est commis sur la scène, ni quand des gardes viennent arrêter un personnage pour le conduire en prison. Toutes ces choses, nous ne pouvons les croire véritables, et jamais elles ne produisent d'illusion. Ces morceaux ne sont faits que pour amener les scènes durant lesquelles les spectateurs rencontrent ces demi-secondes si délicieuses; or, je dis que ces courts moments d'*illusion parfaite se trouvent plus souvent dans les tragédies de Shakespeare que dans les tragédies de Racine.*

Tout le plaisir que l'on trouve au spectacle tragique dépend de la fréquence de ces petits moments d'illusion, *et de l'état d'émotion où, dans leurs intervalles, ils laissent l'âme du spectateur.*

Une des choses qui s'opposent le plus à la naissance de ces moments d'illusion, c'est l'admiration, quelque juste qu'elle soit d'ailleurs, pour les beaux vers d'une tragédie.

C'est bien pis, si l'on se met à vouloir juger des *vers* d'une tragédie. Or c'est justement là la situation de l'âme du spectateur parisien, lorsqu'il va voir, pour la première fois, la tragédie si vantée du *Paria.*

Voilà la question du *romanticisme* réduite à ses derniers termes. Si vous êtes de mauvaise foi, ou si vous êtes insensible, ou si vous êtes pétrifié par Laharpe, vous me nierez mes petits moments d'illusion parfaite.

Et j'avoue que je ne puis rien vous répondre. Vos sentiments ne sont pas quelque chose de matériel que je puisse extraire de votre propre cœur, et mettre sous vos yeux pour vous confondre.

Je vous dis : Vous devez avoir tel sentiment en ce moment; tous les hommes généralement bien organisés éprouvent tel sentiment en ce moment. Vous me répondrez : pardonnez-moi le mot, *cela n'est pas vrai.*

Moi, je n'ai rien à ajouter. Je suis arrivé aux derniers confins de ce que la logique peut saisir dans la poésie.

L'ACADÉMICIEN. — Voilà une métaphysique abominablement obscure; et croyez-vous, avec cela, faire siffler Racine?

LE ROMANTIQUE. — D'abord, il n'y a que des charlatans qui prétendent enseigner l'algèbre sans peine, ou arracher une dent sans douleur. La question que nous agitons est une des plus difficiles dont puisse s'occuper l'esprit humain.

Quant à Racine, je suis bien aise que vous ayez nommé ce grand homme. L'on a fait de son nom une injure pour nous; mais sa gloire est impérissable. Ce sera toujours l'un des plus grands génies qui aient été livrés à l'étonnement et à l'admiration des hommes. César en est-il un moins grand général, parce que, depuis ses campagnes contre nos ancêtres les Gaulois, on a inventé la poudre à canon? Tout ce que nous prétendons, c'est que si César revenait au monde, son premier soin serait d'avoir du canon dans son armée. Dira-t-on que Catinat ou Luxembourg sont de plus grands capitaines que César, parce qu'ils avaient un parc d'artillerie et prenaient en trois jours des places qui auraient arrêté les légions romaines pendant un mois? Ç'aurait été un beau raisonnement à faire à François Ier, à Marignan, que de lui dire : Gardez-vous de vous servir de votre artillerie, César n'avait pas de canons; est-ce que vous vous croiriez plus habile que César?

Si des gens d'un talent incontestable, tels que MM. Chénier, Lemercier, Delavigne, eussent osé s'affranchir des règles dont on a reconnu l'absurdité depuis Racine, ils nous auraient donné mieux que *Tibère*, *Agamemnon* ou *les Vêpres siciliennes*. *Pinto* n'est-il pas cent fois supérieur à *Clovis*, *Orovèse*, *Cyrus*, ou telle autre tragédie fort régulière de M. Lemercier?

Racine ne croyait pas que l'on pût faire la tragédie autrement. S'il vivait de nos jours, et qu'il osât suivre les règles nouvelles, il ferait cent fois mieux qu'*Iphigénie*. Au lieu de n'inspirer que de l'admiration, sentiment un peu froid, il ferait couler des torrents de larmes. Quel est l'homme un peu éclairé qui n'a pas plus de plaisir à voir au Français la *Marie Stuart* de M. Lebrun que le *Bajazet* de Racine? Et pourtant les vers de M. Lebrun sont bien faibles; l'immense différence dans la quantité de plaisir vient de ce que M. Lebrun a osé être à demi romantique.

◆ Guizot estime nécessaire de conserver l'unité d'action (*Vie de Shakespeare*, 1821) :

[...] Celle-là seule est réelle, elle est le but, tandis que les autres ne sont que le moyen [...].

Quand [...] le centre d'action et le centre d'intérêt sont confondus, quand l'attention du spectateur a été fixée sur le personnage, à la fois actif et immuable, dont le caractère, toujours le même, fera sa destinée toujours changeante, alors les événements qui s'agitent autour d'un tel homme ne nous frappent que par rapport à lui; l'impression que nous en recevons prend la couleur qu'il leur a lui-même imposée.

4.2. VERS OU PROSE?

On confrontera ce qu'écrit Stendhal (*Racine et Shakespeare*, II) avec la *Préface de « Cromwell »* et avec la pratique des auteurs dramatiques.

On nous dit : *Le vers est le beau idéal de l'expression;* une pensée étant donnée, le vers est la manière *la plus belle* de la rendre, la manière dont elle fera le plus d'effet.

OUI, pour la satire, pour l'épigramme, pour la comédie satirique, pour le poème épique, pour la tragédie mythologique telle que *Phèdre*, *Iphigénie*, etc.

NON, dès qu'il s'agit de cette tragédie qui tire ses effets de la peinture exacte des mouvements de l'âme et des incidents de la vie des modernes. La pensée ou le sentiment doivent *avant tout* être énoncés avec clarté dans le genre dramatique, en cela l'opposé du poème épique. *The table is full*, s'écrie Macbeth frissonnant de terreur quand il voit l'ombre de ce Banco, qu'il vient de faire assassiner il y a une heure, prendre à la table royale la place qui est réservée à lui le roi Macbeth. Quel vers, quel rythme, peut ajouter à la beauté d'un tel mot?
C'est le cri du cœur, et le cri du cœur n'admet pas d'inversion. Est-ce comme faisant partie d'un alexandrin que nous admirons le *Soyons amis, Cinna;* ou le mot d'Hermione à Pyrrhus : *Qui te l'a dit?*
Remarquez qu'il faut exactement ces mots-là, et non pas d'autres. Lorsque la mesure du vers n'admet pas le mot précis dont se servirait l'homme passionné, que font nos poètes d'Académie? Ils trahissent la passion pour le vers alexandrin. Peu d'hommes, surtout à dix-huit ans, connaissent assez bien les passions pour s'écrier : *Voilà le mot propre que vous négligez. Celui que vous employez n'est qu'un froid synonyme;* tandis que le plus sot du parterre sait fort bien ce qui fait un joli vers. Il sait encore mieux (car dans une monarchie on met à cela toute sa vanité) quel mot est du *langage noble*, et quel n'en est pas.

Ici la délicatesse du théâtre français est allée bien au-delà de la nature : un roi arrivant la nuit dans une maison ennemie dit à son confident : Quelle heure est-il? Hé bien! l'auteur du *Cid d'Andalousie* n'a pas osé faire répondre : Sire, il est minuit. Cet homme d'esprit a eu le courage de faire deux vers :

> La tour de Saint-Marcos, près de cette demeure,
> A, comme vous passiez, sonné la douzième heure.

Je développerai ailleurs la théorie dont voici le simple énoncé : le vers est destiné à rassembler en un foyer, à force d'ellipses, d'inversions, d'alliances de mots, etc., etc. (brillants privilèges de la poésie), les raisons de sentir une beauté de la nature; or dans le genre dramatique ce sont les *scènes précédentes* qui donnent tout son effet au mot que nous entendons prononcer dans la scène actuelle. Par exemple : *Connais-tu la main de Rutile?* Lord Byron approuvait cette distinction. Le personnage tombe à n'être plus qu'un rhéteur *dont je me méfie* pour peu que j'aie d'expérience de la vie, si par la poésie d'expression il cherche à ajouter à la force de ce qu'il dit.

La première condition du drame, c'est que l'action se passe dans une salle dont un des murs a été enlevé par la baguette magique de Melpomène, et remplacé par le parterre. Les

personnages ne savent pas qu'il y a un public. Quel est le confident qui, dans un moment de péril, s'aviserait de ne pas répondre nettement à son roi qui lui dit : Quelle heure est-il? Dès l'instant qu'il y a concession apparente au public, il n'y a plus de personnages dramatiques. Je ne vois que des rapsodes récitant un poème épique plus ou moins beau. En français l'empire du *rythme* ou du vers ne commence que là où l'*inversion est permise*.
Cette note deviendrait un volume si j'essayais d'aller au-devant de toutes les absurdités que les pauvres versificateurs, craignant pour leur considération dans le monde, prêtent chaque matin aux romantiques. Les classiques sont en possession des théâtres et de toutes les places littéraires salariées par le gouvernement. Les jeunes gens ne sont admis à celles de ces places qui deviennent vacantes que sur la présentation des gens âgés qui *travaillent dans la même partie*. Le fanatisme est un titre. Tous les esprits serviles, toutes les petites ambitions de professorat, d'académie, de bibliothèques, etc., *ont intérêt* à nous donner chaque matin des articles classiques; et, par malheur, la déclamation dans tous les genres est l'éloquence de l'indifférence qui joue la foi brûlante.

Il est, du reste, assez plaisant qu'au moment où la réforme littéraire est représentée comme vaincue par tous les journaux ils se croient cependant obligés à lui lancer, chaque matin, quelque nouvelle *niaiserie* qui, comme le *lord Falstaff*, *grand juge d'Angleterre*, nous amuse pendant le reste de la journée. Cette conduite n'a-t-elle pas l'air du commencement d'une déroute?

5. LE PROBLÈME DE LA MORALITÉ DU THÉÂTRE

On analysera ces deux textes de V. Hugo et on les rapprochera des textes concernant le problème de la moralité au XVIIe siècle : comment le problème se pose-t-il cette fois? Vers quel théâtre évolue-t-on ici? Quelle place tient le drame bourgeois dans cette chaîne?

5.1. V. HUGO, *PRÉFACE DE « LUCRÈCE BORGIA »*

[Aux yeux de l'auteur] il y a beaucoup de questions sociales dans les questions littéraires, et toute œuvre est une action. Voilà le sujet sur lequel il s'étendrait volontiers, si l'espace et le temps ne lui manquaient. Le théâtre, on ne saurait trop le répéter, a de nos jours une importance immense, et qui tend à s'accroître sans cesse avec la civilisation même. Le théâtre est une tribune. Le théâtre est une chaire. Le théâtre parle fort et parle haut. Lorsque Corneille dit :

> Pour être plus qu'un roi tu te crois quelque chose,

Corneille, c'est Mirabeau. Quand Shakespeare dit : *To die, to sleep*, Shakespeare, c'est Bossuet.

L'auteur de ce drame sait combien c'est une grande et sérieuse chose que le théâtre. Il sait que le drame, sans sortir des limites impériales de l'art, a une mission nationale, une mission sociale, une mission humaine. Quand il voit chaque soir ce peuple si intelligent et si avancé qui a fait de Paris la cité centrale du progrès s'entasser en foule devant un rideau que sa pensée, à lui chétif poëte, va soulever le moment d'après, il sent combien il est peu de chose, lui, devant tant d'attente et de curiosité; il sent que si son talent n'est rien, il faut que sa probité soit tout; il s'interroge avec sévérité et recueillement sur la portée philosophique de son œuvre; car il se sait responsable, et il ne veut pas que cette foule puisse lui demander compte un jour de ce qu'il lui aura enseigné. Le poëte aussi a charge d'âmes. Il ne faut pas que la multitude sorte du théâtre sans emporter avec elle quelque moralité austère et profonde. Aussi espère-t-il bien, Dieu aidant, ne développer jamais sur la scène (du moins tant que dureront les temps sérieux où nous sommes) que des choses pleines de leçons et de conseils. Il fera toujours apparaître volontiers le cercueil dans la salle du banquet, la prière des morts à travers les refrains de l'orgie, la cagoule à côté du masque. Il laissera quelquefois le carnaval débraillé chanter à tue-tête sur l'avant-scène; mais il lui criera du fond du théâtre : *Memento quia pulvis es.* Il sait bien que l'art seul, l'art pur, l'art proprement dit, n'exige pas tout cela du poëte; mais il pense qu'au théâtre surtout il ne suffit pas de remplir seulement les conditions de l'art. Et quant aux plaies et aux misères de l'humanité, toutes les fois qu'il les étalera dans le drame, il tâchera de jeter sur ce que ces nudités-là auraient de trop odieux le voile d'une idée consolante et grave. Il ne mettra pas Marion de Lorme sur la scène sans purifier la courtisane avec un peu d'amour; il donnera à Triboulet le difforme un cœur de père; il donnera à Lucrèce la monstrueuse des entrailles de mère. Et, de cette façon, sa conscience se reposera du moins tranquille et sereine sur son œuvre. Le drame qu'il rêve et qu'il tente de réaliser pourra toucher à tout sans se souiller à rien. Faites circuler dans tout une pensée morale et compatissante, et il n'y a plus rien de difforme ni de repoussant. A la chose la plus hideuse mêlez une idée religieuse, elle deviendra sainte et pure. Attachez Dieu au gibet, vous avez la croix.

5.2. V. HUGO, *PRÉFACE D'« ANGELO »*

On ne saurait trop le redire, pour quiconque a médité sur les besoins de la société, auxquels doivent toujours correspondre les tentatives de l'art, aujourd'hui plus que jamais le théâtre est un lieu d'enseignement.

Le drame, comme l'auteur de cet ouvrage le voudrait faire, et comme le pourrait faire un homme de génie, doit donner à la foule une philosophie, aux idées une formule, à la poésie des muscles, du sang et de la vie, à ceux qui pensent une explication désintéressée, aux âmes altérées un breuvage, aux plaies secrètes un baume, à chacun un conseil, à tous une loi.

Il va sans dire que les conditions de l'art doivent être d'abord et en tout remplies. La curiosité, l'intérêt, l'amusement, le rire, les larmes, l'observation perpétuelle de tout ce qui est nature, l'enveloppe merveilleuse du style, le drame doit avoir tout cela, sans quoi il ne serait pas le drame; mais, pour être complet, il faut qu'il ait aussi la volonté d'enseigner, en même temps qu'il a la volonté de plaire.

Laissez-vous charmer par le drame, mais que la leçon soit dedans, et qu'on puisse toujours l'y retrouver quand on voudra disséquer cette belle chose vivante, si ravissante, si poétique, si passionnée, si magnifiquement vêtue d'or, de soie et de velours. Dans le plus beau drame, il doit toujours y avoir une idée sévère, comme dans la plus belle femme il y a un squelette.

L'auteur ne se dissimule, comme on voit, aucun des devoirs austères du poëte dramatique. Il essaiera peut-être quelque jour, dans un ouvrage spécial, d'expliquer en détail ce qu'il a voulu faire dans chacun des divers drames qu'il a donnés depuis sept ans. En présence d'une tâche aussi immense que celle du théâtre au XIXe siècle, il sent son insuffisance profonde, mais il n'en persévérera pas moins dans l'œuvre qu'il a commencée. Si peu de chose qu'il soit, comment reculerait-il, encouragé qu'il est par l'adhésion des esprits d'élite, par l'applaudissement de la foule, par la loyale sympathie de tout ce qu'il y a aujourd'hui dans la critique d'hommes éminents et écoutés? Il continuera donc fermement; et chaque fois qu'il croira nécessaire de faire bien voir à tous, dans ses moindres détails, une idée utile, une idée sociale, une idée humaine, il posera le théâtre dessus comme un verre grossissant.

Au siècle où nous vivons, l'horizon de l'art est bien élargi. Autrefois, le poëte disait : le public; aujourd'hui le poëte dit : le peuple.

JUGEMENTS

Considérée comme « une déclaration de guerre aux doctrines reçues », la Préface de « Cromwell », *au lendemain de sa publication, provoque, ainsi que le rapporte le* Victor Hugo raconté par un témoin de sa vie, *« des batailles de feuilletons ». Les premières réactions relèvent souvent de l'hostilité systématique ou de l'enthousiasme inconditionnel.*

Un morceau de prose, que nous qualifions d'admirable, précède la pièce. M. Hugo y établit avec méthode et clarté une théorie qui nous paraît pleine de raison, et qui nous plaît surtout parce qu'elle est un plaidoyer bien senti, toujours spirituel et souvent éloquent en faveur de la liberté. Que cela ait déplu aux greffiers assermentés de la prévôté d'Aristote, c'est ce qui n'étonne guère; ils veulent pour le drame la liberté entre deux guichets, comme nos jésuites la veulent en politique.

La Pandore (21 décembre 1827).

M. Hugo nous assure, et nous devons le croire, que sa Préface n'est point une poétique faite exprès pour sa poésie; mais qu'à propos de *Cromwell* il a jeté sur le papier quelques idées générales; la plupart de ces idées ne sont point nouvelles; d'autres ne me paraissent l'être qu'à force de bizarreries; mais toutes sont présentées avec une spirituelle audace de paradoxe, une vivacité remarquable de style, qui leur donne une apparence de raison et un air de fraîcheur.

Journal des débats (3 janvier 1828).

Ce qui se fait surtout remarquer dès les premières lignes de cette préface, c'est le ton de hauteur dédaigneux avec lequel un jeune écrivain, dont la réputation n'a point dépassé l'enceinte de quelques cercles d'amis, parle de tout ce qui l'a précédé et de ce qui a d'autres idées que celles qu'il professe aujourd'hui. En effet, cette ferveur romantique de sa part est assez moderne; il fut un temps où il se contentait de faire des odes comme tout le monde, et alors il ne songeait pas à attaquer les réputations et les ouvrages qu'on est convenu depuis longtemps d'admirer [...]. Aujourd'hui il en est tout autrement. Le jeune poète modeste est devenu un professeur, jetant avec fierté ses préceptes à son auditoire absent et discutant avec emphase des objections que personne ne lui fait.

La Gazette de France (12 janvier 1828).

La fièvre des premières escarmouches passée, les critiques se font plus précises et plus rigoureuses. Les parties historique et théorique de l'ouvrage sont soumises à un examen sévère qui en dénonce l'inexactitude ou en souligne la faiblesse.

Le drame fut notre passion, car on avait baptisé de ce nom de *drame,* non seulement les ouvrages dialogués, mais toutes les inventions modernes de l'imagination, sous le prétexte qu'elles étaient dramatiques. Il y avait bien là quelque galimatias, mais enfin c'était quelque chose.

Alfred de Musset,
Lettres de Dupuis et Cotonet, dans Œuvres
(Paris, Lemerre, 1876).
Première Lettre, 8 sept. 1836.

La préface de *Cromwell,* où il exposait, en 1827, sa théorie du drame, prouve clairement qu'il a sur la poésie en général, et sur le drame en particulier, des idées fort incomplètes et très peu précises. Il affirme que partout l'ode a précédé l'épopée, et l'épopée le drame. La seule preuve qu'il apporte à l'appui de cette affirmation, c'est que la Bible est antérieure à Homère, et Homère antérieur à Shakespeare; or, sans parler du drame de Job et du Livre des Rois, qui peut à bon droit passer pour une épopée, nous trouvons dans la seule patrie de Shakespeare la réfutation de la théorie exposée par M. Hugo car Shakespeare est venu avant Milton, qui est venu avant Byron. M. Hugo ne contestera, sans doute, ni la valeur épique de Milton ni la valeur lyrique de Byron. Que devient donc, en présence de ces deux poètes éminents, la théorie exposée dans la préface de *Cromwell?* [...] Quoiqu'il lui plaise de dire qu'il a toujours dédaigné de donner à ses œuvres ses préfaces pour bouclier, cependant nous croyons que ses théories dramatiques n'ont été forgées que pour la défense de *Cromwell,* et voilà pourquoi nous refusons de les prendre au sérieux. [...] M. Hugo, en écrivant la préface de *Cromwell,* n'a voulu prouver qu'une seule chose : que la poésie dramatique est la première de toutes les poésies, et qu'avant Shakespeare cette poésie n'existait pas. Pour arriver à cette conclusion, il n'a pu se dispenser de contredire l'histoire; mais il est arrivé à la conclusion qu'il avait formulée d'avance, à laquelle il ne pouvait renoncer sans porter atteinte à l'inviolable dignité de sa pensée.

Gustave Planche,
Portraits littéraires (Paris, Charpentier, 1849).
[Texte daté de 1838.]

Ce qui, dans notre conviction, a le plus nui au maître, ce qui a perverti alentour une foule de jeunes talents, c'est la mise en pratique de la poétique trop célèbre de *Cromwell.* Certainement, M. Victor Hugo, avec sa prose éloquente, vigoureuse, mais trop tatouée et blasonnée d'images, avait écrit là des pages où se retrouve quelquefois la couleur effrénée de Rubens. Par malheur, ces belles théories nous ont valu la littérature débraillée dont tout le monde est las; elles ont fait de l'art une sorte de mascarade à paillettes et à oripeaux écarlates, comme au temps de ces *grotesques* de Louis XIII que M. Gautier nous vante aujourd'hui dans un moment de bonne humeur rétrospective. [Il est question du livre de T. Gautier, *les Grotesques*, publié en 1844.]

Charles Labitte,
le Grotesque en littérature, dans *Etudes littéraires*
(Paris, Joubert-Comptoir des imprimeurs unis, 1846).

L'érudition s'attache à découvrir les sources où a puisé l'auteur et les influences qu'il a subies. L'originalité du manifeste se trouve, de ce fait, sérieusement remise en question.

S'est-il, du moins, montré novateur dans la fameuse préface de *Cromwell?* Ce n'est pas assurément en combattant les unités de temps et de lieu, après Mme de Staël, Manzoni et Stendhal. Ce n'est pas non plus en proclamant la supériorité de Shakespeare sur Racine, plusieurs années après que Stendhal avait consacré à cette démonstration deux brochures retentissantes, et au lendemain du jour où les pièces du grand tragique anglais venaient d'obtenir, à Paris même, un succès éclatant. Il y a dans cette Préface une idée — d'ailleurs éminemment fausse — qui semble, au premier abord, être propre à M. Victor Hugo. D'après lui, le grotesque est l'une des beautés suprêmes du drame qui, loin de repousser les trivialités, doit les rechercher et en faire l'assaisonnement du sublime. Mais même cela n'était pas neuf; ici, en effet, l'auteur de *Cromwell* ne faisait que copier l'auteur d'*Hamlet;* et, en France même, est-ce que Népomucène Lemercier, quelque vingt ans auparavant, dans sa pièce de *Christophe Colomb* — dont l'action commençait en Espagne et se dénouait en Amérique —, n'avait pas entremêlé son drame de lazzis burlesques, tels que celui-ci :

> Je réponds qu'une fois saisi par ces coquins,
> On t'enverra bientôt au pays des requins?

Sur quel terrain M. Victor Hugo s'est-il donc révélé novateur?

Edmond Biré,
Victor Hugo avant 1830 (1883).

Certains commentateurs, enfin, partant d'observations stylistiques, ramènent la Préface *à une simple manifestation de la tendance profonde de l'esprit d'Hugo à cultiver l'antithèse.*

Ici, à propos de la préface de *Cromwell*, nous avons à montrer l'une des sources de son erreur, mais qui est en même temps une grande et importante caractéristique de l'inspiration de son génie, des sentiments et des émotions de sa vie entière, et enfin de ses méditations de *songeur*. Je veux parler de la pensée fondamentale où réside la cause de ce qu'on a appelé chez lui le goût et l'abus de l'antithèse, et qui n'est, aux yeux du philosophe, autre chose que l'interprétation du monde au point de vue *dualiste*, disons tout de suite manichéen, pour être bien compris, quoique ce dernier mot ne puisse être complètement justifié que par le livre des *Contemplations* et d'autres ouvrages des trente dernières années du poète.

Charles Renouvier,
Victor Hugo, le poète (Paris, Armand Colin, 1893).

De même que ses phrases, ses poèmes, ses recueils, ses romans et ses drames sont le développement d'antithèses de plus en plus générales, ses personnages sont presque tous de nature double [...] constitués contradictoirement dans leur âme et dans leur corps, dévoyés par une crise qui retranche leur existence antérieure de leur existence actuelle. [...]

Se bifurquant en de plus générales oppositions, l'antithéisme divise donc toute l'œuvre de M. V. Hugo, des mots aux âmes, du plan d'une anecdote à celui d'un roman en huit cents pages, d'une fable à une trilogie, de la succession des strophes au principe de l'esthétique, qui, exposé dans la préface de *Cromwell*, se résume dans le mélange de deux contraires, le comique et le tragique.

Émile Hennequin,
Etudes de critique scientifique.
Quelques écrivains français (Paris, Perrin, 1890).

La fin du siècle est marquée par l'édition critique de Maurice Souriau. Malgré l'estime qu'il porte à Hugo, cet universitaire se montre, lui aussi, réservé quant à l'importance et à la valeur exactes qu'il convient d'attribuer au célèbre manifeste.

Malgré tous ces mérites, la *Préface* ne donne pas toujours, ni à tous, l'impression de quelque chose de définitif, d'immuable. Tandis qu'on ne se figure pas Boileau changeant une seule théorie, un seul vers de son *Art poétique*, vingt ans après la première édition, Victor Hugo au contraire, en soulignant lui-même la contingence de ses pensées, en faisant remarquer qu'il donne là *ses idées actuelles*, et qu'il ne s'engage pas pour l'avenir, nous autorise à poser cette question : si, au lieu d'écrire d'abord la *Préface*, Victor Hugo avait commencé par composer une bonne partie de son œuvre; si, par exemple, il n'avait donné ses vues sur l'art qu'après *les Burgraves*, n'aurions-nous pas eu tout autre chose que ce que nous avons, et quelque chose de meilleur?

Maurice Souriau,
la Préface de « Cromwell » (1897).

Les critiques du XXe siècle se montrent, dans l'ensemble, moins sévères que leurs devanciers. Sans nier les défauts de la Préface, ils s'attachent surtout à en souligner le retentissement et à en dégager les qualités. Ils s'accordent, en général, à y voir un texte capital de notre littérature, et pour son importance historique et pour sa grande beauté d'écriture.

Il importe de préciser ce qui était nouveau dans *Cromwell* et dans sa préface. Cette préface est loin d'être de tous points une révolution; elle a été ce que Maurice Souriau appelle le chef-d'œuvre de l'apprenti : chef-d'œuvre oratoire, chef-d'œuvre de polémique où le maître de la jeune école excelle à donner une forme originale et puissante aux idées qui sont dans l'air, et auxquelles il ne manque plus qu'une expression définitive pour s'imposer à tous.

Paul Berret,
Victor Hugo (1927).

Elle est avant tout l'expression de cette juste idée qu'il ne saurait y avoir au théâtre de règles fixes et immuables, qu'il n'y a que des conventions qui se modifient d'âge en âge, et que les moyens doivent changer avec les temps, les lieux, les hommes. Elle nous a libérés de lois archaïques qui ne s'accordaient plus avec nos façons de sentir et nos mœurs; elle a rendu possible non seulement le théâtre de Dumas père dont on se serait bien passé, non seulement celui d'Alfred de Vigny ou de Victor Hugo qui est d'un tout autre prix, mais celui même d'Alfred de Musset qui est quelque chose d'exquis et d'unique. Et il faut dire plus; il faut dire qu'elle a rendu possible tout un art dramatique nouveau qui ne s'est constitué qu'après 1850 et qui est encore le nôtre, l'art d'Émile Augier, de Dumas fils et de leurs successeurs. C'est grâce à elle que cet art nouveau s'est soustrait à l'unité de temps et à l'unité de lieu; c'est grâce à elle qu'il a pris la constante habitude de mêler le rire aux larmes, si bien qu'une pièce ne se nomme plus tragédie ou comédie, mais « pièce » tout simplement. Et si nous n'y voyons plus reparaître le beau monde tragique de l'histoire ou de la légende, rois et reines, princes et princesses, mais des bourgeois, des gens du peuple, toutes les classes sociales, toute notre société démocratique, toute l'humanité de notre temps, n'est-ce pas aussi, en un certain sens, grâce à la préface qui demandait au théâtre de rompre avec les antiques routines, de se rapprocher le plus possible de la vie, d'en devenir la fidèle image?

André Le Breton,
la Jeunesse de Victor Hugo (1928).

La *Préface de Cromwell* fut un magnifique appel à la liberté. Les idées qu'elle exprimait l'avaient été déjà presque toutes; elles avaient même triomphé au Français avec *Henri III et sa cour* d'Alexandre

Dumas; mais Hugo leur donnait une forme éclatante et, par ses erreurs, leur imprimait sa griffe.

André Bellesort,
Victor Hugo. Essai sur son œuvre (Paris, Perrin, 1930).

La préface de Cromwell, c'est donc, en somme, le mélodrame prenant conscience de ses moyens et de sa dignité littéraire. On ne diminue pas, à l'avouer, l'importance de ce manifeste. Car de ce jour seulement, et grâce à lui, un genre qui, jusqu'ici, n'avait fait que tâtonner sur les confins de la littérature, y pénètre glorieusement. Les timides ont toujours tort. Les amis de Pixerécourt frémirent devant les audaces romantiques, ils crièrent au scandale devant ces jeunes gens aux mépris excessifs, disposés à jeter bas les idoles les plus respectables.

Jules Marsan,
Autour du romantisme (1937).

Faut-il dire que l'ensemble de la Préface est admirablement écrit? Nisard, peu suspect de tendresse pour Hugo, l'a rangée parmi les pages d'un grand écrivain français.

Nous savons combien profonde fut l'influence de la *Préface de Cromwell,* bien qu'elle n'ait guère dépassé les limites de la France, et malgré les essais de résistance qui se manifestèrent à l'intérieur de notre pays. Elle a sorti le théâtre de sa médiocrité, rendant à peu près impossible tout retour à la formule classique; « elle a exécuté la tragédie de plâtre et de pacotille, la comédie de convention et de lieu commun » (Paul de Saint-Victor).

Dans la brèche ainsi faite, toute l'armée romantique a passé et d'autres qui n'étaient point de ses soldats. Soumet, Augier, Ponsard lui-même ne pouvaient pas ne pas reconnaître que quelque chose était mort qui devait mourir, que quelque chose de nouveau naissait dont ils allaient, malgré eux, s'inspirer, car nul ne peut se murer dans la citadelle du passé.

Georges Froment-Guieysse,
Victor Hugo (Paris, Ed. de l'Empire français, 1948).

Tout d'abord, Hugo sait se tenir aux points importants de la querelle et les enfermer dans des formules claires et propres à frapper l'imagination. [...] Hugo simplifie et grossit les points de vue, il élargit le problème, il l'humanise et l'expose dans une construction à la fois brillante et solide. D'autre part, que ce soit pour réprouver sa « bizarrerie » ou pour l'admirer comme un morceau de style, les critiques du temps ont remarqué la prose de Victor Hugo, qui se montrait là, pour la première fois, sous son vrai jour, et il faut dire que c'est une des plus amples de notre littérature. On ne saurait trop étudier la variété du ton et la diversité des arguments, fondés sur le bon sens, la grandeur ou l'audace.

[...] La *Préface* offre un condensé de ses ressources stylistiques : le portrait de Cromwell, à la fin, présente déjà le procédé et la maîtrise du portrait de Louis-Philippe dans *les Misérables.* Puis, Hugo se produit au moment où les esprits, familiarisés avec les idées en jeu, prennent la question au sérieux, et il n'hésite pas à développer son attaque avec éclat.

Jean-Bertrand Barrère,
Hugo, l'homme et l'œuvre (Paris, Boivin, 1952).

La *Préface de « Cromwell »* est le puissant bélier qui rompit la résistance des vieilles pierres vénérables, restées en place par l'effet de leur seul poids. La muraille ouverte, les romantiques, en trois bonds, furent dans la forteresse; les chefs apparurent au sommet, brandissant leur étendard, couronnant la ruine, Hugo le premier. Ce fut une véritable prise de la Bastille. L'effet de la *Préface* fut immense.

[...] Quelque opinion que l'on garde sur la *Préface,* nous ne pouvons pas ne pas saluer en elle un des grands cris de délivrance de la littérature universelle : c'est d'elle en particulier que date l'ère moderne en poésie. Nous en relevons tous, non seulement les poètes, mais même les prosateurs, même ceux qui combattent aujourd'hui Hugo et le romantisme, car sans Hugo et le romantisme, ils écriraient — que dis-je? — ils penseraient autrement.

Fernand Gregh,
Victor Hugo, sa vie, son œuvre (1954).

SUJETS DE DEVOIRS

EXPOSÉS

● Rhétorique et poésie dans la *Préface de « Cromwell »*.

● Le lyrisme dans la *Préface de « Cromwell »*.

● La conception hugolienne de la poésie et du poète dans la *Préface de « Cromwell »*.

● Les rapports du drame et de l'histoire d'après la *Préface de « Cromwell »*.

● Les rapports de l'art et de la nature d'après la *Préface de « Cromwell »*.

● Le classicisme et le romantisme selon la *Préface de « Cromwell »*.

● Hugo polémiste d'après la *Préface de « Cromwell »*.

DISSERTATIONS

● De nombreux critiques ont insisté sur le caractère négatif de la *Préface de « Cromwell »*. C'est ainsi que Maurice Souriau écrit : « Il faut lui demander moins la révélation d'un esprit nouveau que la condamnation et l'exécution de l'ancien régime littéraire. » Cette interprétation vous paraît-elle rendre compte de tous les aspects de ce célèbre manifeste?

● Il faut, affirme un contemporain, lire la *Préface de « Cromwell »* « comme une œuvre d'art, et non la consulter comme un document historique ». Discutez ce jugement.

● « Certes, malgré ma bonne opinion du mérite de l'auteur, écrit le rédacteur anonyme d'un journal de l'époque romantique *(les Annales)*, j'étais loin de m'attendre à une logique aussi serrée, à des raisonnements aussi forts et aussi suivis. Elle [la *Préface de « Cromwell »*] renferme pourtant des paradoxes bien ingénieux, des idées plus poétiques que vraies, mais l'idée première en est si neuve, si juste, et développée avec une telle originalité que l'on se trouve séduit, subjugué; cette *Préface*, unique en son genre, est un chef-d'œuvre. » Partagez-vous ce point de vue?

● « Issu d'esprits hardis et résolument épris de nouveauté, le drame est la mouvante image de la révolution littéraire. Mais conforme aux préoccupations et aux goûts d'un vaste public, il est aussi le miroir de la société dont il exprime l'idéal esthétique et moral. Par la plasticité de sa forme, l'actualité de ses sujets et la diversité de son style, le drame a été, à chacune des époques successives de son histoire, le *théâtre des temps modernes.* » Cette opinion d'un critique contemporain (Michel Liouré, *le Drame*) vous semble-t-elle compatible avec la définition du drame telle que la propose Victor Hugo dans sa *Préface de « Cromwell »?*

● Mme de Staël, qui préfère la tragédie au drame, déclare, dans son livre *De l'Allemagne* : « Le drame est à la tragédie ce que les figures de cire sont aux statues; il y a trop de vérité et pas assez d'idéal; c'est trop, si c'est de l'art, et jamais assez pour que ce soit de la nature. » Vous apprécierez cette opinion en la confrontant aux idées développées sur le même sujet par Victor Hugo dans la *Préface de « Cromwell ».*

● « Cette « large peinture de la vie » — dans le sens où l'ont entendue les romantiques et qu'Hugo pour une seule fois a tentée dans son *Cromwell* —, le théâtre, les conditions matérielles du théâtre, l'optique de la scène, la durée même d'attention que nous pouvons prêter à un drame ne la comportent pas; et cette fonction est proprement la fonction du roman. » Vous examinerez, à partir de cette observation de Brunetière *(les Epoques du théâtre français),* dans quelle mesure le drame tel que le définit la *Préface de « Cromwell »* se rattache ou échappe au domaine proprement théâtral.

● Il faut, selon Émile Faguet *(Drame ancien, drame moderne)* « que l'impression générale que laisse une pièce de théâtre soit comique ou tragique ». Mais, ajoute cet auteur, « il ne suit nullement de là que le comique doive être banni de la tragédie ou le tragique absolument exclu de la comédie. Il suffit que la présence de l'un ou de l'autre n'altère point l'impression générale et dernière. Dans cette mesure, l'emploi du comique dans le drame sérieux est légitime; il peut même arriver qu'il soit utile ». Le Victor Hugo de la *Préface de « Cromwell »* aurait-il, à votre avis, ratifié cette opinion?

● La *Préface de « Cromwell »* fait, selon Fernand Gregh *(l'Œuvre de Victor Hugo),* pendant à la *Défense et illustration de la langue française* de Du Bellay. « Ici et là, même assurance, même fougue, même enthousiasme pour le beau, même sévérité juvénile à l'égard des prédécesseurs immédiats, et enfin même sagesse cachée sous l'allégresse un peu jactante de la forme », déclare ce critique à l'appui de son parallèle. Vous commenterez et discuterez, s'il y a lieu, cette opinion originale.

● Victor Hugo, pense Maurice Souriau, « a été romantique, tant que le romantisme a été nécessaire, comme on est révolutionnaire tant que la révolution est utile; puis on essaye de faire vivre quelque chose de nouveau ». Ce jugement vous semble-t-il s'appliquer à l'œuvre théâtrale de l'auteur de la *Préface de « Cromwell »?*

● « Excessif en toutes choses, le géant de la poésie française ne comporte pas un sentiment de juste milieu. » Cette opinion de Paul Stapfer (*Racine et Victor Hugo*) vous semble-t-elle rendre compte de la *Préface de « Cromwell »* et des idées qui y sont développées ?

● « Dans aucune question, sur aucun terrain, Victor Hugo n'est un initiateur », écrit Edmond Biré dans son *Victor Hugo avant 1830*. « Si grand qu'il soit, il lui manque cette grandeur suprême d'avoir été un générateur d'idées, un chef de doctrines, un créateur d'âmes. Il lui reste, et cela certes suffit à sa gloire, d'avoir souvent, à défaut des premiers coups, porté les coups décisifs, d'avoir imprimé sa marque sur les idées d'autrui avec une telle puissance, avec un génie d'exécution si prodigieux, que ces idées demeureront frappées à son effigie. » Vous commenterez et discuterez ce jugement en l'appliquant à la *Préface de « Cromwell »*.

● « Lit-on Victor Hugo ? se demande Henri Guillemin. Ses proportions déconcertent notre hâte et nos légèretés. Lui-même d'ailleurs se porte tort par une faconde souvent impure, substituant l'exercice de style à l'expérience vécue et, au témoignage, la tirade. » Dans quelle mesure cette observation vous paraît-elle applicable à la *Préface de « Cromwell »* ?

TABLE DES MATIÈRES

Imprimerie LAROUSSE, 1 à 9, rue d'Arcueil, Montrouge (Hauts-de-Seine).
Décembre 1971. — Dépôt légal 1971-4e. — No 5164. — No de série Editeur 5513.
IMPRIMÉ EN FRANCE (*Printed in France*). — 34 450 K-12-71.